大切な人は今もそこにいる

ひびきあう賢治《けんじ》と東日本大震災《ひがしにほんだいしんさい》

千葉　望

理論社

これは、私的《してき》なメメント・モリです。

メメント・モリ＝「死を忘れるな」の意。

もくじ

装画・イラスト／マット和子

1

東北で生まれ、身近な死を考える。

いろいろと大変なこと、つらいことはあってもそれなりに平和で、突然爆撃《とつぜんばくげき》されるようなこともなく、衛生的《えいせい》で乳児死亡率《にゅうじしぼうりつ》も低い国、日本。私《わたし》自身家族を順番に看取《みと》り、やがて自分も死んでいくのだろうけれど、それはあまり近い未来ではないと思って生きてきました。

両親はじめ年長の家族は、不慮《ふりょ》の事故《じこ》ではなく病気にかかり、病院で亡《な》くなりました。母だけは平均寿命《へいきんじゅみょう》よりもはるかに若《わか》かったけれど、ほかには短命といえるほど早く亡《な》くなった人はいません。彼《かれ》らの闘病《とうびょう》や看取《みと》りの期間と、それに続く数年の「喪《も》」の時期を除《のぞ》けば、それほど「死」について切実に考えたことはありませんでした。

そんな私《わたし》に、突然《とつぜん》「死」を痛切《つうせつ》に感じざるを得《え》ないできごとが起こりました。二〇一一年三月十一日に起きた東日本大震災《ひがしにほんだいしんさい》です。

私《わたし》の父方の実家は東日本大震災《ひがしにほんだいしんさい》の被災地《ひさいち》となってしまった岩手県陸前高田市《りくぜんたかたし》にある真宗大谷派《しんしゅうおおたには》に所属《しょぞく》する寺院です。市の中心部から十キロほど離《はな》れた高台にあり、幸い、津波《つなみ》の被害《ひがい》は免《まぬが》れました。津波《つなみ》の直後から被災《ひさい》した方たちが寺に逃《に》げてきて、その晩《ばん》は一五〇名ほどの方々《かたがた》が寺の庫裏《くり》で夜を過《す》ごしました。

私《わたし》は東京の自宅《じたく》にいて仕事中でした。震度《しんど》5強の揺《ゆ》れに襲《おそ》われたものの停電《ていでん》はなく、情報《じょうほう》を得《え》るためにテレビをつけたところ、まもなく画面に東北地方沿岸部《えんがんぶ》に大津波《おおつなみ》警報《けいほう》が出たという情報《じょうほう》が流れてきました。

それから数日間のことは一生忘《わす》れられないでしょう。実家には弟夫婦《ふうふ》と三人の子どもがおり、市内や隣町《となりまち》にはたくさんの親族が散らばって住んでいました。彼《かれ》らの無事がわかるまでには長い時間がかかってしまいました。残念ながら五人の親族が亡《な》くなりました。

それまでも、理屈《りくつ》ではわかっていたのです。平穏《へいおん》な日々《ひび》が実際《じっさい》には「死」と隣《とな》り合わせであり、元気に出かけていった大事な人が事故《じこ》に遭《あ》うとか、突然《とつぜん》の病気で倒《たお》れてしまうということはありうるのだと。だから、毎日お互《たが》いを大切に暮《く》らさなくてはならないのだと。

ある意味では「耳にタコができるほど」、聞かされてきた話です。残念ですが自分が危機《きき》に直面しないかぎり、本当の意味はわからないものですね。大津波警報《おおつなみけいほう》が出され、予想される津波《つなみ》の高さは十メートル超《ちょう》という数字を見たときに、顔から血がサーっと下がっていくのがわかりました。

急に「死」がリアルなものとして迫《せま》ってきた瞬間《しゅんかん》でした。心の備《そな》えなどまったくないうちに、「死」が自分を打ち砕《くだ》く可能性《かのうせい》がある。本当に大事な人に死なれてしまったら、自分が死ぬよりつらいかもしれません。何十万、何百万という人が、三月十一日、その恐《おそ》れを共有したでしょう。十二日には福島県では福島第一原発一号機の水素《すいそ》爆発《ばくはつ》があり、より大きく、より長い危機《きき》が始まったのです。

そのあとも日本では災害《さいがい》が絶《た》えることがありません。熊本県では震度《しんど》7の地震《じしん》が二度起きました。余震《よしん》も立て続けに起き、多くの人が被災《ひさい》しています。各地で起きた台風被害《ひがい》や水害の大きさはいうまでもありません。そして、世界を襲《おそ》った新型《しんがた》コロナウイルスの流行は、平和な日本でも、日々《ひび》の暮《く》らしが一瞬《いっしゅん》にして損《そこ》なわれることを改めて感じさせました。当たり前のように仕事先や学校へ行き、長い休みになると旅行へ出かけるという慣《な》れ親しんだ生活は一変してしまったのです。

大都会で暮《く》らしていると、「死」はとても遠く感じられました。実際《じっさい》にはそれはただの誤解《ごかい》なのですが（都会こそ、毎日たくさんの方が亡《な》くなっています）、電車に乗っていてたまたまその電車が人身事故《じこ》で止まったとき、車内に流れるのは冷ややかな空気です。「急いでいるのに迷惑《めいわく》だ」とばかりに舌打《したう》ちする人さえいます。事故《じこ》なのか、それとも鉄道を使った自死なのかはわかりません。「死ぬなら一人で死んでくれ」という空気に疑問《ぎもん》がわかないほど他人の死に鈍感《どんかん》なのは、人口の多い大都会では死者が一人一人違《ちが》った名前を持つ個人《こじん》ではなく、「多数のうちの一人」に過《す》ぎなくなるからでしょう。でも、その人が自分の友人や家族だったとしたら、突然《とつぜん》「自分の問題」として降《ふ》りかかってくるはずです。

この本では、東日本大震災《ひがしにほんだいしんさい》のことを多く語るつもりです。私《わたし》にとってリアルな「死」を考えるきっかけとなったのがこの震災《しんさい》だったからです。でも、災害《さいがい》に向けた心構《こころがま》えを説くつもりはありません。私《わたし》の生の声を書くことが、読んでくださる皆《みな》さんにも「死」は決して遠い世界のことではなく、実は身近に存在《そんざい》するものだと考えるきっかけになってくれれば嬉《うれ》しいです。

それでは、東日本大震災《ひがしにほんだいしんさい》のことを語る前に、それ以前の私《わたし》にとって「死」がどういうものであったかについて考えてみたいと思います。

私《わたし》の実家が寺であることはすでに述《の》べました。親族にもお坊《ぼう》さんが多いですし、檀家《だんか》（真宗《しんしゅう》大谷派《は》では「ご門徒《もんと》」と呼《よ》びます）のお葬式《そうしき》もしょっちゅうありました。考えてみれば普通《ふつう》のおうちよりもはるかに「死」に接《せっ》する機会は多いわけですが、それだけに何か特別に思うことは少なかったかもしれません。人が亡《な》くなるのは本来自然なことです。

特に、真宗《しんしゅう》大谷派《は》をはじめとする浄土真宗系《じょうどしんしゅうけい》は、ご門徒が亡《な》くなるとすぐにお浄土《じょうど》へ帰って仏様《ほとけさま》になると考えます。むずかしい修行《しゅぎょう》や勉強はいらない、帰依《きえ》する阿弥陀如来《あみだにょらい》に対して「南無阿弥陀仏《なむあみだぶつ》」と御念仏《おねんぶつ》さえ唱えれば、誰《だれ》もがお浄土《じょうど》へ行けるという庶民《しょみん》のための宗派《しゅうは》なのです。お通夜《つや》やお葬式《そうしき》に持参する香典袋《こうでんぶくろ》にも「御霊前《ごれいぜん》」ではなく「御仏前《ごぶつぜん》」と書きます。

お通夜やお葬式《そうしき》へ行くと、帰りがけに挨拶状《あいさつじょう》とセットになった小さな塩の包みを渡《わた》されることがあります。それは死の穢《けが》れを清めるという意味があるのですが、浄土真《じょうどしん》宗系《しゅうけい》の葬儀《そうぎ》では省かれることがほとんどです。死んでお浄土《じょうど》へ還《かえ》るのだから、決して忌《い》むべきものではないという考え方です。

私《わたし》にとって「死」が特別なものでなかったという理由の一つには、墓地《ぼち》が家のすぐそばにあったことが考えられます。今でも地方に行くと、田んぼや畑のすぐそばにいくつかの古いお墓《はか》が建っている景色を見ることがあります。現在《げんざい》のようにわざわざ遠くの霊園《れいえん》を買わなくても、家のすぐそばにご先祖《せんぞ》のお墓《はか》があるのは自然なことだった時代がありました。

実家の寺は高台にあって、墓地《ぼち》に行くと広田湾《ひろたわん》がよく見え、「今日は海が荒《あ》れているな」とか「鏡のように静かだな」ということは近くに行かなくてもよくわかります。周りに建物がないため日当たりがよく、北国なのに、暖《あたた》かい年などお正月にバッケ（ふきのとう）が顔を出すこともありました。「墓地《ぼち》に生えてきたふきのとうなんて」と嫌《いや》がる方がいるかもしれませんが、我《わ》が家にはそういう感覚はまったくありませんでした。季節の山菜が好きな父は待ちかねていて、バッケ味噌《みそ》（蕗味噌《ふきみそ》）を作ったり、そのまま刻《きざ》んで味噌汁《みそしる》に入れて楽しんでいました。

子どもの頃《ころ》、墓地《ぼち》は遊び場で鬼《おに》ごっこなどをしたものですし、お墓《はか》に供《そな》えてあったみかんを失敬《しっけい》していただいたこともあります。罰当《ばちあ》たりな話ですが、それだけお墓《はか》が日常《にちじょう》のなかに存在《そんざい》していたのです。

「そんなにお墓《はか》が近くて怖《こわ》くないの？」

と聞かれたこともありますが、怖《こわ》くありません。

怖《こわ》いとすれば、夜になると出てくる夜行《やこう》性《せい》の動物くらいです。田舎《いなか》ですから暗闇《くらやみ》の中でも生き物の気配は濃《こ》く、子どもの頃《ころ》に座敷《ざしき》で寝《ね》ていると、隣《となり》の本堂《ほんどう》の外廊下《ろうか》から何かの足音がよく聞こえてきたものです。慣《な》れない人にはとても怖《こわ》いものかもしれませんが、地元で「バンドリ」と呼《よ》ばれるムササビだったでしょうか。バンドリは本堂《ほんどう》と山門の屋根に巣を持っていて、自由に飛んで行き来していました。狐《きつね》、イタチ、リス、夜明けとともに鳴き出すたくさんの鳥

たちも親しい存在《そんざい》でした。

小動物だけではありません。数年前、帰省して我《わ》が家のお墓《はか》に参ろうと墓地《ぼち》へ行く道を歩いていたら、数メートル先に大きなオスのカモシカが立っていて、

「シューッ！」

と威嚇《いかく》されました。無理に通ろうとして蹴飛《けと》ばされるのもいやなのでお参りは諦《あきら》めましたが、自然に逆《さか》らってもしかたありません。「ここは我《わ》が家なんだけどな」とおかしかったものです。

都会の霊園《れいえん》を散歩がてら歩いている時など、

「私《わたし》は夜でも死んだ人は怖《こわ》くないな、怖《こわ》いとすれば生きている人間だな」

と思います。墓石《ぼせき》の後ろから突然《とつぜん》変な人間が現《あらわ》れる方が、幽霊《ゆうれい》よりよほど怖《こわ》いというものです。人間が出てこないのなら特に怖《こわ》いものはありません。せいぜい野良猫《のらねこ》の光る目にびっくりする程度《ていど》です。

そもそも千葉家の一族にお化けを見た人とか、なんらかの霊感《れいかん》のある人がいたと聞いたことはありません。東日本大震災《ひがしにほんだいしんさい》が起きたあと、被災地《ひさいち》ではさまざまな幽霊《ゆうれい》の話が語られました。幽霊《ゆうれい》でもよいから、もう一度大切な人が自分のもとに現《あらわ》れてほしい

と願う人も少なくなく、そこでは幽霊《ゆうれい》はただ怖《こわ》い存在《そんざい》ではなかったのです。

私《わたし》の親族のお坊《ぼう》さんも、「幽霊《ゆうれい》が出るという話は結構《けっこう》あるよ」と言っていました。「自分でも見たの？」と聞いてみると首を横に振《ふ》りました。自分では見なくても、そういうことも受け入れていく。私《わたし》だけでなく、一族が皆《みな》こういう感じです。たぶん一《いっ》般《ぱん》の方たちとの感覚とは違《ちが》うことでしょう。

昔は今のような火葬《かそう》ではなく、土葬《どそう》で弔《とむら》われました。遺体《いたい》をそのまま桶《おけ》のような棺《ひつぎ》（早桶《はやおけ》）に納《おさ》め、土を掘《ほ》ってそのまま埋《う》めるのです。陸前高田での話ではありませんが、私《わたし》は子どもの頃《ころ》に土葬《どそう》を見たようなうっすらとした記憶《きおく》があります。

高校時代まで教師《きょうし》でもあった父の転勤《てんきん》に伴《ともな》い、県内を転々《てんてん》として暮《く》らしていたので、かろうじてその習慣《しゅうかん》が残っていたところに住んでいたのかもしれません。映画《えいが》かドキュメンタリーで見た映像《えいぞう》が記憶《きおく》に置き換《か》わっている可能性《かのうせい》もありますが、白装束《しろしょうぞく》の葬列《そうれつ》と、棒《ぼう》に綱《つな》でぶら下げられた早桶《はやおけ》が何人かの人によって担《かつ》がれ、運ばれていきました。法律《ほうりつ》上は今も土葬《どそう》は禁止《きんし》されておらず（禁止区域《きんしくいき》はある）、昭和初期まで山間部などでは普通《ふつう》に土葬《どそう》の習慣《しゅうかん》もあったといいます。

火葬《かそう》する場合にもいろいろなやり方がありました。父と年齢《ねんれい》の離《はな》れた叔父《おじ》に聞くと、実家のあたりでは叔父《おじ》が幼《おさな》い頃《ころ》まで集落の高台に火葬場《かそうば》が設《もう》けられており、亡《な》くなった方は近しい人たちの手によって荼毘《だび》にふされました。今のように自治体が運営《うんえい》する立派《りっぱ》な火葬場《かそうば》などがなかった時代です。夜通しかけて火を燃《も》やして荼毘《だび》にふすため、叔父《おじ》はお弁当《べんとう》を届《とど》けに行かされたそうです。

そういう時、おとなたちはわざと怪談《かいだん》めいた話を子どもに聞かせて脅《おど》かしたといいます。

「焼かれている死体が突然《とつぜん》起き上がってナ」

起き上がってというのは生き返ったという意味ではなく、肉体が燃《も》える際《さい》に縮《ちぢ》んで起きる反応《はんのう》のことだったのでしょうが、子どもには充分《じゅうぶん》恐《おそ》ろしい話でした。

家に帰る頃《ころ》にはあたりはもう暗くなっています。慣《な》れた道とはいえ、家々《いえいえ》が少なく街灯もない道を飛ぶように走って帰ったと聞き、大いに笑ったものです。思えば、親しかった人を自分たちで火葬《かそう》できるほど、生者と死者の距離《きょり》が近かったのでしょう。

「死」が具体的なものとして私《わたし》に迫《せま》ってきたのは高校一年の時の父方の祖父《そふ》の死です。

当時は教員である父の赴任《ふにん》先だった、岩手県花巻《はなまき》市に暮《く》らしていました。そのため陸前高田市まで頻繁《ひんぱん》にお見舞《みま》いに行けたわけではなく、両親が慌《あわ》ただしい動きをしていたことが記憶《きおく》にあります。

高校一年の十一月のある日、学校で授業《じゅぎょう》を受けていると家から電話があり、担任《たんにん》の先生から「おじいさんが危篤《きとく》だそうなので、早く家へ帰るように」と言われて急いで帰宅《きたく》しました。母、姉、弟と一緒《いっしょ》に東北本線から大船渡線《おおふなとせん》へと在来線《ざいらいせん》を乗り継《つ》いで向かっていると、途中《とちゅう》の駅から乗ってきた大叔母《おおおば》（祖父《そふ》の妹）と一緒《いっしょ》になりました。大叔母《おおおば》の沈痛《ちんつう》な顔を見た時のなんとも言えない不安感は、今にして思うと、自分が初めて「死」に直面するらしいというざわざわした感覚からきていたように思います。

それまでは本やニュース、戦争を描《えが》いたドキュメンタリー番組でいやというほど「死」について学んできたつもりでした。ベトナム戦争が続いていた時は毎日のトップニュースがその話題でしたし、日本にある米軍基地《きち》を経由《けいゆ》してベトナムへと向かう米軍機や軍艦《ぐんかん》も多く、反戦運動も盛《さか》んに行われていました。何より、日本の敗戦からまだ三十年ほどで、戦争のリアルな記憶《きおく》を持つ人たちがまわりにたくさんいたのです。

しかし、そういうおびただしい死と祖父《そふ》の死の予感とはまったく違《ちが》うものでした。花巻《はなまき》駅から列車に乗り込《こ》んで無言のまま窓《まど》から眺《なが》めた景色は、あの日から何十年も経《た》った今でも思い出します。晩秋《ばんしゅう》の岩手はもう木々《きぎ》がすっかり葉を落とし、荒涼《こうりょう》としていて、その暗さはそのまま私《わたし》自身の心の中の暗さでした。硬《かた》い座席《ざせき》に座《すわ》り、

「宮澤賢治《みやざわけんじ》が妹トシを結核《けっかく》で失ったのもこんな季節だったのだな」

と考えたことを覚えています。賢治《けんじ》はみぞれ降《ふ》る十一月、花巻《はなまき》の自宅《じたく》そばにあった離《はな》れで最愛の妹を看取《みと》りました。

あと一時間ほどで祖父《そふ》が入院している病院の最寄《もよ》り駅へ着くというとき、母あてに車内呼《よ》び出しがありました。その時、大叔母《おおおば》が一言、

「あ、ダメだったね」

と言ったことを覚えています。その通り、トシが逝《い》ったのと同じように寒い日の夜、私《わたし》たちを待たずに祖父《そふ》は逝《い》き、「病院近くの駅ではなく自宅《じたく》に向かうように」という知らせが届《とど》けられたのでした。

実家の寺に着くと、もう祖父《そふ》の遺体《いたい》は病院から帰っていて、仏間《ぶつま》に北枕《きたまくら》で寝《ね》かせら

れていました。もともと痩《や》せている人でしたが、病《や》み衰《おとろ》えた表情《ひょうじょう》はまだ苦しげに見えました。その後火葬《かそう》までのあいだ（実家のあたりでは葬儀《そうぎ》の前に火葬《かそう》をします）、何度か祖父《そふ》の遺体《いたい》の前でお参りをし、かけられた覆《おお》いをとって顔も眺《なが》めたのですが、最初は柔《やわ》らかかった皮膚《ひふ》がだんだんに硬《かた》く冷たくなっていくことがいちばん心に刻《きざ》まれました。そのあと何人もの身内を送り、顔に触《ふ》れてきましたが、あのひやっとした感じは死体以外からは感じられないものです。

祖父《そふ》はちょっと変わったユーモアの持ち主で、私《わたし》のことは可愛《かわい》がってくれましたが、ベタベタと無条件《むじょうけん》に可愛《かわい》がるというよりも、孫をからかうのが大好きという人でした。例えばお年玉をくれた後にそれを自分の座布団《ざぶとん》の下に隠《かく》して、私《わたし》が大慌《おおあわ》てで探《さが》し回るのを喜《よろこ》ぶ。あるいは言葉でからかって、私《わたし》が言い返すのを面白がる。その後でまわりに、

「なんと理屈《りくつ》っぽいワラシ（童子《わらし》＝子どものこと）だべ」

と嘆《なげ》いていたそうですが、私《わたし》に言わせれば理屈《りくつ》っぽいのはお互《たが》い様です。

お葬式《そうしき》を執《と》り行うため広間を掃除《そうじ》していたところ、いつも祖父《そふ》が座《すわ》っていた座布団《ざぶとん》の下に、和紙に墨《すみ》で書かれた漢詩らしきものがあるのを見つけました。祖父《そふ》は大事な

手紙や書類などを座布団《ざぶとん》の下にしまう癖《くせ》があったのです。その詩の大意は、「我《わ》が寺にたくさんのご門徒が集《つど》って親鸞聖人《しんらんしょうにん》の教えに耳を傾《かたむ》ける。良きかな」というようなもので、特に上手とはいえませんでしたが、祖父《そふ》の「お坊《ぼう》さんらしさ」が感じられるものでした。

初めて「遺体《いたい》」に会ったのと同じく、火葬《かそう》に参列し、骨揚《こつあ》げしたのも祖父《そふ》の時が初めてです。お骨《こつ》になってしまうともう諦《あきら》めがつくというのでしょうか。しみじみしたというよりも、「あっけないな」というのがその時の気持ちでした。もうこの世に戻《もど》りようがないのだと、思い知らせるための儀式《ぎしき》のようにも思いました。

その後のおよそ十年間で、私《わたし》は父方の祖母《そぼ》、母方の祖母《そぼ》、実母、母方の祖父《そふ》を立て続けに失いました。一時期はお葬式《そうしき》やご法事ばかり続いていたような気がします。父は教員の仕事を続けながら祖父《そふ》の跡《あと》を継《つ》いで寺の住職《じゅうしょく》としても働かなければならず、葬儀《そうぎ》やご法事の負担《ふたん》も重かったと思います。

母方の祖母《そぼ》は肺炎《はいえん》をこじらせてあっという間に亡《な》くなってしまい、呆然《ぼうぜん》としました。つい数日前まで普通《ふつう》に会話できていた人がいなくなる。当時は肺炎《はいえん》という病気の恐《おそ》ろしさを知らなかったせいもありますが、ぎりぎりまで祖母《そぼ》が死ぬとは思っていなかったのです。ドアを開けたらそこには床《ゆか》がなく、そのままずとんと落ちてしまう。そのような感覚を覚えました。

身内を次々《つぎつぎ》に見送るうちに、父方の祖父《そふ》を亡《な》くした時のようなざわざわした落ち着きのない気持ちは薄《うす》れましたが、

「こうやって人は死者と隔《へだ》てられていく」

という諦念《ていねん》が少しずつ、否応《いやおう》なく、私《わたし》の中に根を下ろしていったように思います。

当時は祖父母《そふぼ》が送った人生のことに興味《きょうみ》を持つこともありませんでした。明治生まれで、子どもたちを抱《かか》えて厳《きび》しい戦争の時代をくぐり抜《ぬ》けた世代です。父方の祖母《そぼ》は、

「ここ（陸前高田）にいても、艦砲射撃《かんぽうしゃげき》を受けている釜石《かまいし》の方の空が真っ赤に見えたもんだ」

と話してくれました。直線距離で三十五キロ離《はな》れた釜石市《かまいしし》には製鉄所《せいてつじょ》があり、そこを狙《ねら》って米軍艦船《かんせん》は激《はげ》しい攻撃《こうげき》を加えたのです。私《わたし》に興味《きょうみ》さえあれば、どれほどいろいろなことを聞けたかと思い、残念でなりません。

私《わたし》は二十七歳《さい》の時に実母に死なれました。もう社会人として東京で働いていた頃《ころ》の

ことです。充分《じゅうぶん》おとなになってからの死であるにもかかわらず、やはり親の死は特別なもので、今でも母のことを思い出すたびに悲しいのです。

母は四十代半ばから難病《なんびょう》にかかり、結局五十二歳《さい》で亡《な》くなりました。私《わたし》が大学進学した時はまだ元気だったのですが、そののち急速に弱っていきました。

私《わたし》は今、母が死んだ年齢《ねんれい》を超《こ》えました。自分が五十二歳《さい》になった時は、

「こんなに若《わか》い時にママは死んでしまったのか」

と胸《むね》を衝《つ》かれました。健康で元気に働いていた私《わたし》には、死はまだはるかに遠いものだったからです。姉を二十二歳《さい》で、私《わたし》を二十四歳《さい》で産んだ母は、父が結核《けっかく》にかかったこともあり、今で言う「ワンオペ育児（ワンオペレーション育児。夫や家族が忙《いそが》しくて何もかも一人で子育てをすること）」どころか、二重三重の苦労をしたと思います。子ども二人を育てながら仕事をし、何年も入院していた夫の看病《かんびょう》もしたのですから。三十八歳《さい》で弟を産んだ時に大量出血して輸血《ゆけつ》をし、いただいた血に混《ま》じっていたウイルスのせいで肝炎《かんえん》になりました。

最近よく「毒親《どくおや》」とか「毒母《どくはは》」という言葉が聞かれます。愛情《あいじょう》の名の下《もと》に子どもを支配《しはい》し、縛《しば》りつけ、虐待《ぎゃくたい》する親のことです。しかし私《わたし》の母はそういうものとは無縁《むえん》で、

私《わたし》は母の無条件《むじょうけん》の愛情《あいじょう》を疑《うたが》ったことはありません。自分の子どもたち以外の小さな子も可愛《かわい》がる、面倒見《めんどうみ》のよい人でした。そんな人でも難病《なんびょう》になり、早く死んでしまうのがこの世のならいです。理不尽《りふじん》といえば理不尽《りふじん》の極《きわ》みでしょう。

そして当時の私《わたし》はといえばやりがいのある仕事で忙《いそが》しい上に、望んで選び取った東京の生活を謳歌《おうか》していて、会社員という縛《しば》りに甘《あま》え、母の看病《かんびょう》は叔母《おば》たち（父の妹たち）や姉に任《まか》せきりでした。

それでも、亡《な》くなる三週間ほど前から長期休暇《きゅうか》を取り、交代で病室に泊《と》まり込《こ》みました。その時は幸い、多忙《たぼう》を極《きわ》めた部署《ぶしょ》から異動《いどう》していたのです。姉や神奈川県から駆けつけた母の実妹たちと一緒《いっしょ》に少しずつ弱っていく母を看取《みと》りました。

その時、

「息が絶《た》える」

という言葉が現実《げんじつ》なのだということを思い知った気がします。

亡《な》くなる数日前は激《はげ》しい苦しみに襲《おそ》われた母が、一つの急な谷をくだり、やがてなだらかな黄泉《よみ》への坂を下りていく段階《だんかい》に入ります。下顎《したあご》だけが小さな息とともに上下する「下顎呼吸《かがくこきゅう》」になると、あとに残された時間はごくわずかしかありません。

その息がことりと落ちた時、医師《いし》の静かな「ご臨終《りんじゅう》です」という声が病室に響《ひび》きました。

病院から寺に戻《もど》るとき、父が運転する車の後部座席《ざせき》にきょうだい三人で座《すわ》って、毛布《もうふ》で包まれた母の遺体《いたい》を抱《だ》いて帰りました。まだ遺体《いたい》は柔《やわ》らかで、もともとほっそりした身体はさらに軽くなり、自分の産んだ三人の子の膝《ひざ》の上で車の振動《しんどう》に合わせてゆっくりと揺《ゆ》れるのでした。姉と私《わたし》は涙《なみだ》にくれましたが、高校生だった弟は泣きませんでした。その後に続く寺での葬儀《そうぎ》一切《いっさい》を、覚えておかなければという跡取《あとと》りらしい責任感を持っていたそうです。

次の記憶《きおく》は、暗い仏間《ぶつま》に親族の女性《じょせい》たちが輪になって、母の帷子《かたびら》を縫《ぬ》う場面です。白い麻布《あさぬの》を断《た》ち、手分けして着物の形に縫《ぬ》い合わせていきます。糸は縫《ぬ》いっぱなしで止めないのがならいです。祖父母《そふぼ》の時にやった覚えはありませんが、その時は大人の女たちで手が足りていたのでしょう。今では何もかも葬祭《そうさい》業者が用意してくれますが、八〇年代半ばの岩手ではそういう習慣《しゅうかん》が生きていたのです。

不思議なことに、叔母《おば》たちと一緒《いっしょ》に針《はり》を動かしていると、死者のために行われている作業でありながら、長い間女たちが受け渡《わた》してきたいのちの営《いとな》みのようなものを感じるのでした。そのことに安らぎさえ覚えました。

死化粧《しにげしょう》は姉と私《わたし》、母の妹たちで行いました。今のようにエンバーミング（遺体《いたい》をきれいにし修復《しゅうふく》をほどこすこと）を行わないままの顔はやつれ、髪《かみ》は長年の闘病《とうびょう》で白くなっていたものの、眉《まゆ》を整え、紅《べに》をさせば、まだまだ美しい母でした。まぶたが閉《と》じきらずに黒い瞳《ひとみ》が見えていたためか、叔母《おば》の一人が、

「お人形みたい」

と言ったことを覚えています。

我《わ》が家は寺なので弔《とむら》いの行事がことのほか大掛《おおが》かりになるとはいえ、当時はまだ自《じ》宅《たく》で葬《そう》儀《ぎ》を営《いとな》むお宅《たく》も多いものでした。御斎《おとき》の料理は仕出しを頼《たの》むにしても、裏方《うらかた》さんのためにお煮《に》しめを作ったり、おむすびを握《にぎ》ったりするという日常《にちじょう》の作業が、横たわる死者のすぐ近くで行われていたのです。今に比《くら》べると、はるかに死者は近い存在《そんざい》だという手応《てごた》えがありました。

覚悟《かくご》していたとはいえ、実の親を失う衝撃《しょうげき》は祖父母《そふぼ》のそれとはまったく違《ちが》うもので

した。葬儀《そうぎ》を終えて東京の職場《しょくば》に戻《もど》った時、私《わたし》の顔を見た同僚《どうりょう》がハッとした表情《ひょうじょう》になったことを覚えています。よほどやつれていたのでしょう。

しばらくの間、何を見ても母を思い出し、涙《なみだ》ぐむ日が続きました。しかしその気持ちには、「いてくれて当然の存在《そんざい》がいなくなってしまった」という自分中心のところがありました。

一周忌《いっしゅうき》を迎《むか》える頃《ころ》だったでしょうか。私《わたし》は高い熱を出して寝込《ねこ》みました。当時は仕事の忙《いそが》しさが戻《もど》っており、母の死を受けとめきれずにいたことも重なって、心身がくたびれ果てていたのでしょう。夢《ゆめ》うつつで横になっていると、そばに母が座《すわ》っているような気がしました。自分の中では「これは夢《ゆめ》だ」とわかっているのですが、すぐ近くに母の肉体を感じたのです。長年病院で過《す》ごし、会話もままならなかった母なのに、私《わたし》のことを心配しているのだと思いました。

その後はっきりと目が覚めた後も、母がそばにいてくれたという安心感が自分を包んでいました。久《ひさ》しく忘《わす》れていた感覚です。それは母の発病以来心の中にしまい込《こ》んでいた、母に依存《いぞん》したいという気持ちが生んだものなのか。

よく霊《れい》を見るという人にその話をしたところ、「間違《まちが》いなくお母さんがいらしたのです」と断言《だんげん》されましたが、霊感《れいかん》のない私《わたし》としては簡単《かんたん》に「はいそうですか」と納得《なっとく》するわけにもいきません。夢《ゆめ》でかまわない。ただ、その時の温かな気持ちを忘《わす》れずにいようと思いました。

当時はとにかく毎日、母のことを思い出しました。十年ほど経《た》ってから一日だけ思い出さない日があり、そのことに自分でびっくりしてしまいました。時間が経《た》つというのはこういうことなのか。そう思いました。でもその後は忘《わす》れたことはありません。

純粋《じゅんすい》に母のために悲しめるようになったのはいつ頃《ごろ》からだったか。もちろん「早くに死んでしまってかわいそう」という気持ちはずっとあったのですが、母が自分の人生を充分《じゅうぶん》生ききれないままで死んでしまったのではないかという気持ちがわいたのは、やはり母の享年《きょうねん》と私《わたし》の年齢《ねんれい》が近づいてきた頃《ころ》だったと思います。

今、母が生きていたとしたら八十七歳《さい》。この長寿《ちょうじゅ》社会では、その年齢《ねんれい》で元気な方はいくらでもいます。私《わたし》たちを育て上げてから、いろいろと自分のやりたいことがあったでしょう。その無念さが少しはわかるようになってきたのです。会いたかった人、行きたかった場所、読みたかった本。何よりも、子ども好きだった母が孫の姿《すがた》を見られなかったことがかわいそうでした。
今ではすっかり母のいない生活にも慣《な》れました。でも「いない」ということは「不《ふ》在《ざい》」ではないと感じます。自分が生きている限《かぎ》り、母は私《わたし》の中に存在《そんざい》している。私《わたし》はずっと父親似《ちちおやに》だと言われ、確《たし》かに顔立ちは父からもらったものが多いと思うのですが、面長《おもなが》なところは母譲《ゆず》り。おもしろいもので、年齢《ねんれい》を重ねると骨格《こっかく》が似《に》ている方に近づいていくものらしく、自分でも母に似《に》てきたと思うのです。手の形とか、性格《せいかく》のある部分などに母のことを見つけては、おもしろがっています。血を受け継《つ》ぐとはこういうことなのでしょう。

東京育ちだった母は少女の頃《ころ》に空襲《くうしゅう》も経験《けいけん》しています。一九四五年四月十三日から十四日未明にかけて行われた東京城北大空襲《じょうほくだいくうしゅう》で家を焼かれ、焼夷弾《しょういだん》の雨の中を逃《に》げまどったと聞きました。しかしもっと大変だったのは焼け出されたあとでしょう。それについてとうとう祖父母《そふぼ》や母に聞かずじまいだったことを、とても後悔《こうかい》してきました。母の一家はどういういきさつがあったのか陸前高田に移住《いじゅう》し、そこで父と出会ったのです。

七十五歳《さい》で亡《な》くなった父とは、母に比《くら》べれば随分《ずいぶん》といろいろな会話ができました。私《わたし》は気質《きしつ》としては母より父に似《に》ていますし、本や音楽の趣味《しゅみ》も父譲《ゆず》りです。晩年《ばんねん》はできるだけ父が若《わか》かった頃《ころ》の話（それはとりもなおさず戦時中の話が多いのですが）を聞くように努めてきました。

旧制《きゅうせい》中学時代に川崎の軍需《ぐんじゅ》工場に動員され、旋盤《せんばん》を回して軍事物資《ぶっし》を作ったこと。食糧《しょくりょう》不足でお腹《なか》がすいてたまらなかったこと。川崎も空襲《くうしゅう》に遭《あ》い、機銃掃射《きじゅうそうしゃ》を受けて、すぐそばにいた友達が死んでしまったこと……。そして十六歳《さい》で戦争が終わった時には、悔《くや》しいというよりも「ああ、戦場へ行かずに済《す》む！」と心底ホッとしたこと。すぐ上の世代が召集《しょうしゅう》され、次々《つぎつぎ》に戦死していくのですから無理もないことです。負け戦《いくさ》は少年の目にも明らかで、自分も死ななくてはならないと覚悟《かくご》していた世代でした（四歳《さい》下の母は敗戦が悔《くや》しくてたまらなかったそうですが、この年代での四歳《さい》差は大きかったものと見えます）。

両親の少年少女時代は戦争と共にありました。死の恐怖《きょうふ》、親元から離《はな》れて暮《く》らす寂《さび》しさ、食糧難《しょくりょうなん》によるひもじさ。空襲《くうしゅう》で失った数々《かずかず》の品物や日々《ひび》の暮《く》らし。平和な時代に生まれ育った私《わたし》には、その残酷《ざんこく》さをうまく想像《そうぞう》することができません。戦争の記録はたくさん読んできましたが、やはりそれは机上《きじょう》の知識《ちしき》に過《す》ぎないからです。

重い病気がわかった時に手術《しゅじゅつ》を拒《こば》み、寺に戻《もど》った父。心配すると、「なあに、死んだってお浄土《じょうど》へ行くんだもの」と言っていた父。恐怖心《きょうふしん》はあったに違《ちが》いないのですが、どこかお坊《ぼう》さんらしい諦念《ていねん》が身についていました。それでも、病状《びょうじょう》が悪化してとうとう病院に入ることになりました。

癌《がん》を患《わずら》っていた父に付き添《そ》って一人で病院に泊《と》まった日、痛《いた》み止めのモルヒネを打たれていた父が真夜中にうなされて起き上がったことがあります。もうそんな体力はなかったはずなのに、体を起こし、顔の前を手で払《はら》うような仕草をしながら叫《さけ》びました。

「戦争は嫌《いや》だ！　戦争は嫌《いや》だ！　戦争は嫌《いや》だ！」

少年時代に機銃掃射《きじゅうそうしゃ》を受けた記憶《きおく》が、死の間際《まぎわ》に蘇《よみがえ》ったのでしょうか。諦念《ていねん》を身につけていたようで、実は最後まで戦争の記憶《きおく》に苦しんだ父がかわいそうでなりませんでした。実際《じっさい》に戦地で戦ったわけでもない父でさえ、この有り様です。そこにいたのは七十五歳《さい》の老人ではなく、十代半ばの少年でした。

もう命が残りわずかとなり、おそらく明日には尽《つ》きるだろうと言われた夜も、私《わたし》は病室で付き添《そ》っていました。早朝、病院の窓《まど》から海を眺《なが》めると、朝日が昇《のぼ》ろうとしていました。前夜から降《ふ》り積もった雪が太陽に照らされて、薄桃色《うすももいろ》に染《そ》まっていきます。その美しさは私《わたし》には恵《めぐ》みと感じられました。

「こんな日にお浄土《じょうど》へ行けるのか。よかった」

と思ったことを覚えています。肉親の死という悲しみに対し、自然は時に大きな救《すく》いとなるのです。その日の午後、父はお浄土《じょうど》へ還《かえ》りました。

両親を看取《みと》った後で時間が経《た》つにつれ、私《わたし》が抱《いだ》く感情《かんじょう》には違《ちが》いがありました。母に死なれたのは悲しみ、父に死なれたのは寂《さび》しさです。それは、充分《じゅうぶん》に生きられなかった母への哀惜《あいせき》の思いが悲しみにつながっているからだと思います。今でも毎日両親のことを思い出し、懐《なつ》かしんでいます。ただ懐《なつ》かしく思い出せるのは幸いだと思います。

父が死んでいく日に私《わたし》の救《すく》いとなった自然は、七年後に牙《きば》を剥《む》き、大津波《おおつなみ》となって街を襲《おそ》いました。

2

あの日のこと、
そして九年後。

二〇一一年三月十一日の午後二時四十六分、東北地方太平洋沖地震《とうほくちほうたいへいようおきじしん》（その後の福島第一原子力発電所の事故《じこ》を含《ふく》めて東日本大震災《ひがしにほんだいしんさい》と呼《よ》びます）が日本を襲《おそ》いました。三陸沖《さんりくおき》を震源《しんげん》とし、マグニチュード9・0は日本の観測史上《かんそくしじょう》最大で、震源域《しんげんいき》は岩手県沖から茨城県沖までの南北五百キロメートルに及《およ》ぶという巨大《きょだい》なものでした。

その日、私《わたし》はマンションの一階にある自宅《じたく》で仕事をしていました。午後二時四十六分が過《す》ぎて少し経《た》った頃《ころ》、家がかすかに揺《ゆ》れ始めました。「地震《じしん》かな」と思っているうちに、徐々《じょじょ》に揺《ゆ》れが大きくなり、建物がガタガタと鳴っています。しかも、長いのです。書棚《しょだな》から何冊《さつ》か本が落ちる音がします。こわくなって仕事机《づくえ》にしがみつきました。「震源《しんげん》はどこだろう、揺《ゆ》れ始めからこんなに長く続く地震《じしん》だと、遠いところかもしれない……。実家の近くじゃないといいけれど」と思っていると、ちょうど友人から慌《あわ》てた声で電話が入りました。

「あなたの実家のあたりに大きな地震《じしん》があったみたい！　大丈夫《だいじょうぶ》⁉」

やっぱりそうなのか。電話を切り、急いでテレビをつけた私《わたし》の目に入ってきたのは、東北地方の図にずらりと並《なら》んだ「震度《しんど》6（宮城県内陸部の栗原《くりはら》市は震度《しんど》7）」という数字。思わず「あっ！」と声が出ました。実家のある岩手県南部は「震度《しんど》6」。震源《しんげん》は三陸沖です。震度《しんど》6という地震《じしん》そのものは、地震《じしん》多発地帯である三陸地方の人々《ひとびと》は何度も経験《けいけん》しています。それに郷里《きょうり》の陸前高田《りくぜんたかた》市は地盤《じばん》がしっかりしているのか、地《じ》震《しん》に強い土地です。これまで、地震《じしん》で家がバタバタ倒《たお》れるということはありませんでした。でも、海に面しているところですからこわいのは津波《つなみ》です。

本当の恐怖《きょうふ》が襲《おそ》ってきたのは、

「大津波警報《おおつなみけいほう》発令」

という文字とともに太平洋沿岸《えんがん》部が禍々《まがまが》しい赤い線で縁取《ふちど》られているのを見た時です。震度《しんど》6クラスでも震源地《しんげんち》によっては津波《つなみ》がないこともありますが、もうこれはいけません。長い地震《じしん》でまだ家は揺《ゆ》れていましたが、もうそれどころではなく、意識《いしき》は完全に郷里《きょうり》に飛んでいました。

「津波《つなみ》の高さは十メートル以上」

という数字を見た時には、文字通り膝《ひざ》が震《ふる》えました。とうとう来てしまった。そう思いました。

私《わたし》が何度も聞かされてきた地震《じしん》による津波《つなみ》といえば、一九六〇年（昭和三五年）五月二十四日に起きたチリ地震《じしん》津波《つなみ》です。南米のチリで発生した大地震《おおじしん》による津波《つなみ》は遠く太平洋を越《こ》えて、日本の沿岸《えんがん》部を襲《おそ》いました。

陸前高田市もその例外ではなく、津波《つなみ》は多くの家を破壊《はかい》し、八名の命を奪《うば》いました。当時両親と姉の四人家族で父の赴任《ふにん》先である内陸の一関《いちのせき》市に住んでいた私《わたし》には、具体的な津波《つなみ》の記憶《きおく》はありません。しかし内陸部から走る国鉄（現《げん》ＪＲ東日本）大船渡線《おおふなとせん》が復旧《ふっきゅう》するのに約一カ月かかり、両親が寺に戻《もど》ってこられたのはその後でした。二歳《さい》年上の姉は、目の前の広田湾《ひろたわん》が瓦礫《がれき》で埋《う》まっていたことを覚えています。

海に近かった母の実家も流されました。祖父母《そふぼ》と二人の叔母《おば》は母のいる寺に身を寄《よ》せましたが、他にも被災《ひさい》した方々《かたがた》が来られ、避難所《ひなんじょ》のようになっていたそうです。一番下の叔母《おば》は、

「本堂《ほんどう》の前の石が組まれたところに遺体《いたい》が置かれていた記憶《きおく》がある」

と言っています。広い建物のある寺は避難所《ひなんじょ》にも、遺体《いたい》安置所にもなっていたので

す。八名の死者だって大変な数です。

三月十一日、私《わたし》はチリ地震津波《じしんつなみ》の後にできた防潮堤《ぼうちょうてい》に望みをかけていました。

「あの時は何もない浜《はま》のままだったから、津波《つなみ》が家を襲《おそ》ったのだ。今回は大丈夫《だいじょうぶ》だ」

しかし、そういう私《わたし》の希望をあざ笑うように、テレビには次々《つぎつぎ》と信じられないような光景が映《うつ》し出されていました。

あとで聞くと、大きな地震《じしん》に襲《おそ》われた地域《ちいき》ではすぐに停電《ていでん》してしまい、テレビなどのニュースが見られなくなっていたそうです。携帯《けいたい》ラジオを持っている人はそれほど多くなく、携帯《けいたい》電話も基地局《きちきょく》が被災《ひさい》したり、停電《ていでん》の影響《えいきょう》があったりですぐに使えなくなりました。地震《じしん》が起きてから津波《つなみ》が到達《とうたつ》するまでに約三十分。テレビが見られたなら、もっと避難《ひなん》が早かっただろうと思います。

やがて、東京にいた私《わたし》はテレビの中継《ちゅうけい》で、海上保安庁《かいじょうほあんちょう》の飛行機が捉《とら》えた津波《つなみ》を目撃《もくげき》することになります。沖に大きな白波の帯がふたつ、上空から映《うつ》し出されていたのです。あの津波《つなみ》が情《なさ》け容赦《ようしゃ》なく私《わたし》の郷里《きょうり》を襲《おそ》うのか。

その後私《わたし》は、東北沿岸部《えんがんぶ》を次々《つぎつぎ》巨大津波《きょだいつなみ》が襲《おそ》うさまをリアルタイムで見続けなければなりませんでした。陸前高田市には中継《ちゅうけい》カメラがありませんでしたが、すぐ北の大《おお》船渡《ふなと》市、南に隣接《りんせつ》する宮城県気仙沼《けせんぬま》市を襲《おそ》う津波《つなみ》の大きさを見れば、陸前高田市の防《ぼう》潮堤《ちょうてい》などひとたまりもないだろうということは私《わたし》にもわかるのでした。

一体これは現実《げんじつ》なのか？　盛《も》り上がった津波《つなみ》が大きな貨物船を地上に運び、家々《いえいえ》を飲み込《こ》み、押《お》し流していく。広い仙台平野《せんだいへいや》の沿岸《えんがん》部では津波《つなみ》が舌《した》を伸《の》ばすように田や畑を覆《おお》っていき、その先を軽自動車が必死で逃《に》げていく様子も映《うつ》し出されました。

逃《に》げて！　逃《に》げて！

頭を抱《かか》えたまま叫《さけ》んでいたと思います。

津波《つなみ》に関する知識《ちしき》はある程度《ていど》持っていました。たとえ高さが二十センチメートルくらいでも、普通《ふつう》の波と津波《つなみ》はまったくパワーが違《ちが》い、引き波で沖へ持って行かれてしまうんだぞ。そんな風に聞かされたものです。

実家の寺には弟夫婦《ふうふ》と小学校一年の甥《おい》、四年、六年の姪《めい》がいます。弟は陸前高田市役所の福祉事務所《ふくしじむしょ》に勤務《きんむ》する公務員《こうむいん》でもあります。普段《ふだん》は高齢者福祉《こうれいしゃふくし》を担当《たんとう》し、津波《つなみ》が襲《おそ》った時間帯は市役所か担当《たんとう》する施設《しせつ》にいると思われました。市役所にいれば、市で一番高い建物（といってでも四階建てですが）なのだから、屋上に逃《に》げればなんとかなる。でも外にいたらどうだろう？

義妹《ぎまい》はお寺を守る「坊守《ぼうもり》」として忙《いそが》しく働いています。子どもたちは学校にいるか、そろそろ帰宅《きたく》するか。いずれにしても微妙《びみょう》な時間帯でした。家族以外にもたくさんの親族が沿岸《えんがん》部で暮《く》らしており、そちらも心配でした。

テレビに映《うつ》し出された津波《つなみ》は、陸前高田市の中心部を破壊《はかい》するのに十分な高さに思われました。三陸沿岸《えんがん》部は美しいリアス式海岸で有名で、「陸中海岸国立公園」（現《げん》・三陸復興《ふっこう》国立公園）として知られています。その代わり、海岸線からすぐのところまで山が迫《せま》っていて、襲《おそ》いかかった津波《つなみ》は盛《も》り上がって山に達します。この時の高さを遡上高《そじょうこう》と言います。

我《わ》が家がまさにそれで、標高で言えば三十メートル以上のところにありますが、そこまで津波《つなみ》が来ないという保証《ほしょう》はどこにもありません。事実、明治三陸大津波《おおつなみ》の時は、旧気仙郡綾里村《きゅうけせんぐんりょうりむら》（現《げん》・大船渡《おおふなと》市三陸《さんりく》町綾里《りょうり》）の綾里湾《りょうりわん》奥では遡上高《そじょうこう》が三十八・二メートルを記録しています。

恐怖心《きょうふしん》。

私《わたし》が感じたのはそれでした。大事な家族や親族が今この時に死につつあるかもしれない。それに対して、遠く離《はな》れた東京にいる自分は何もできないのだ。あの無力感は今も忘《わす》れることができません。

徐々《じょじょ》に外が暗くなっていきます。その頃《ころ》また友人から電話がかかってきました。家の電話や携帯《けいたい》電話よりも、公衆《こうしゅう》電話の方がつながりやすいから、外から実家に電話してみるようにというのです。「どうせつながるまい」と半分諦《あきら》めながら、財布《さいふ》を握《にぎ》って外に出ました。そこにはびっくりするような光景が広がっていました。公衆《こうしゅう》電話を備《そな》えたコンビニのある幹線《かんせん》道路が人波で埋《う》まっていたのです。歩いて自宅《じたく》を目指す人たちの群れでした。中には会社に支給《しきゅう》されたのか、ヘルメットをかぶっている人もいました。とても現実《げんじつ》とは思えない光景に、私《わたし》はしばらく呆然《ぼうぜん》と立ち尽《つ》くしました。

公衆《こうしゅう》電話には私《わたし》と同じことを考えたと思われる人たちが何人か列を作っていましたが、誰《だれ》も電話がつながった人はいませんでした。私《わたし》ももちろんダメで、仕方なくコンビニで菓子《かし》パンと飲み物をいくつか買って帰りました。まったく食欲《しょくよく》はありませんでしたが、食べておかなくてはなりません。

帰宅《きたく》するとまたテレビをつけ、パソコンを開いて前の年に始めたばかりのツイッターにアクセスしました。そこには地震《じしん》や津波《つなみ》に関するおびただしい情報《じょうほう》が流れ始めていました。今から比《くら》べればツイッターをやっている人の数は少なかったのですが、それでも大変な量でした。私《わたし》は菓子《かし》パンを噛《か》みながらその情報《じょうほう》を追いかけ、自分でも家族の消息を求める書き込《こ》みをしました。

こういう時、たとえ親しい友人でも同じ気持ちを分かち合うことはできないものです。東日本の海岸線に面したところに自分の大切な人が住み、消息が全くつかめないという恐怖心《きょうふしん》は、見知らぬ相手でも同じ立場にある人だけがわかり合える。そのことをつくづく感じました。

ツイッター上で私《わたし》の実家が陸前高田の高台にある寺だと知った人たちから、続々《ぞくぞく》と問い合わせがありました。これはなかなか都会の人にはわかりづらいことかもしれません。東北地方ではお寺や神社と地域《ちいき》の人の距離《きょり》が近いのです。大災害《だいさいがい》があって家を失った時、避難《ひなん》するのは公民館などとともにこういう宗教施設《しゅうきょうしせつ》であることが珍《めずら》しくありません。都会で暮《く》らしていても岩手出身の人はそういう感覚がわかっているから問い合わせをくれたのです。

残念なことに私《わたし》自身も家族の消息が知れず、情報《じょうほう》がなかったので、具体的なことは答えられませんでした。でも、ご門徒《もんと》たちが寺の庫裏《くり》に避難《ひなん》しているだろうということだけはわかっていました。近隣《きんりん》の人も来られているかも知れません。

心配なのは家族だけではありませんでした。市の中心部にある寺院のうち、二つは私《わたし》の親族が住職《じゅうしょく》を務《つと》めています。他の町を襲《おそ》った津波《つなみ》の規模《きぼ》を考えると、彼《かれ》らのお寺が無事だとはとても思えませんでした。このお寺のこともツイッターで情報《じょうほう》を求めました。

さまざまな情報《じょうほう》が飛び交《か》っていました。そのうち東京でも湾岸《わんがん》部にある石油タンクが爆発炎上《ばくはつえんじょう》し、そこから毒性《どくせい》のある物質《ぶっしつ》が降《ふ》ってくるというチェーンメールが回ってきたことを覚えています。それはすぐに否定《ひてい》されましたが、恐《おそ》ろしいことに、デマほど素早《すばや》く拡散《かくさん》されるものだと知りました。

私《わたし》は怯《おび》えながら、NTTの災害用伝言《さいがいようでんごん》ダイヤルに電話して、弟夫婦《ふうふ》へのメッセージを吹《ふ》き込《こ》みました。

元気ですか。生きていてください。生きていてください。

夜の八時くらいでしょうか。暗くなった現地《げんち》の映像《えいぞう》で、気仙沼《けせんぬま》市に大きく上がる炎《ほのお》が映《うつ》し出されていました。遠洋漁業の基地《きち》である気仙沼市《けせんぬまし》にもリアス式の湾《わん》が深く入り込《こ》んでいます。船などから流れ出た燃料《ねんりょう》に火がつき、海の上を漂《ただよ》っている他の船や家々《いえいえ》に火が移《うつ》ったものと思われました。阪神淡路大震災《はんしんあわじだいしんさい》では神戸《こうべ》市長田《ながた》区を大火が襲《おそ》ったことを思い出しました。あの時と同じく、炎《ほのお》の中に人がいるかも知れないのです。

その夜はほとんど眠《ねむ》れませんでした。東京でも余震《よしん》が続き、一階にある我《わ》が家も何度か大きな揺《ゆ》れを感じるほどでした。東京でこれなら、陸前高田はどれだけ揺《ゆ》れているのかと思い、恐怖《きょうふ》は募《つの》るばかりです。

ここで不思議なことが起きました。私《わたし》の感情《かんじょう》の「出力」が突然《とつぜん》ダウンしたのです。目の前に次々《つぎつぎ》現《あらわ》れる悲惨《ひさん》な情報《じょうほう》から自分で自分を守ろうとしていると感じました。スマホやパソコン画面が省電力モードに変わる時のようです。心や体の余計《よけい》な消耗《しょうもう》を避《さ》けるために、人間にはこのような機能《きのう》が備《そな》わっているのかもしれません。妙《みょう》に冷静になっている自分を、もう一人の私《わたし》が観察しているようでした。

しかし、本当の恐怖《きょうふ》はその後にやってきました。朝五時になり、郵便受《ゆうびんう》けから取ってきた朝刊《ちょうかん》には、

「東日本大震災《ひがしにほんだいしんさい》　M8・8世界最大級　大津波《おおつなみ》」

という見出しが躍《おど》っていました（その後M9・0とわかりました）。「震度《しんど》7　死者・行方《ゆくえ》不明者八五〇人超《ちょう》」という人数が実態《じったい》とかけ離《はな》れていることは私《わたし》にもわかっていました。記事には「仙台《せんだい》市若林《わかばやし》区には二〇〇〜三〇〇の遺体《いたい》がある」と書いてありました。大地震《おおじしん》直後から報道機関《ほうどうきかん》のヘリコプターが被災地《ひさいち》へ飛び、惨状《さんじょう》を撮影《さつえい》していたのです。これは戦場だろうか。

テレビをつけると、やがて上空から陸前高田の光景が映《うつ》し出されました。残っている建物はごくわずかです。市役所や県立高田病院など鉄筋《てっきん》コンクリートの建物の屋上に助けを求める人たちがいました。三月といえば北国ではまだ冬。どんなにか寒いでしょう。あたりは瓦礫《がれき》ばかりで、人の姿《すがた》は全く見えませんでした。

午前中、内陸の県庁所在地《けんちょうしょざいち》である盛岡《もりおか》市の姉とようやく電話で話すことができました。前夜は停電《ていでん》もあって連絡《れんらく》が取れなかったのです。姉も、私《わたし》と同じように淡々《たんたん》としていました。お互《たが》いが持っている親族の情報《じょうほう》などを小さな声で交換《こうかん》しあい、静かに

受話器を置きました。一度感情《かんじょう》を溢《あふ》れさせてしまったらとめどがなくなる。今はまだその時ではない。そんな気持ちでした。

やがて、画面の上に速報《そくほう》の文字が出ました。

「探索《たんさく》に入った自衛隊《じえいたい》が、陸前高田市内で数百の遺体《いたい》を発見」

私《わたし》はわあっと叫《さけ》んでベッドに腰《こし》を落とし、頭を抱《かか》えました。目から大きな涙《なみだ》がボトボトと音を立ててフローリングの床《ゆか》に落ちていきます。抑《おさ》えていた感情《かんじょう》が弾《はじ》けて飛んでいったかのようでした。懐《なつ》かしい町は跡形《あとかた》もなく破壊《はかい》されてしまい、そこに数百もの死体が転がっている。それは私《わたし》の大切な誰《だれ》かかも知れない。そんな光景が目に浮《う》かびました。

ひとしきり号泣すると、私《わたし》の感情《かんじょう》は再《ふたた》び「省電力モード」になり、テレビとパソコンでの情報蒐集《じょうほうしゅうしゅう》に戻《もど》りました。残っていた仕事にも取りかかりました。状況《じょうきょう》がわかり次第、陸前高田に行きたい。たとえ弟一家の誰《だれ》かが亡《な》くなっていても、彼《かれ》らを弔《とむら》い、代わりを務《つと》めるために帰らなくてはならない。そのためには仕事を片付《かたづ》けておく必要がありました。

それでも私《わたし》はまだ良かったのです。家族の消息はわからないままだったけれど、市役所や病院の屋上に人がいたことで、津波《つなみ》の高さが想像《そうぞう》できたからです。あの高さなら、実家の建物は無事だ。あそこに逃《に》げた人たちは生きて助けを待っている。そう確《かく》信《しん》できました。

ツイッターで情報《じょうほう》をやり取りしていた人たちの実家の場所を聞くと、私《わたし》のように楽観できない人が多数派《は》でした。平地に家があったり、高台でも海のすぐそばに立地していたりすれば、実家がもう流されたという覚悟《かくご》をしていたはずです。なんと悲しい覚悟《かくご》でしょう。

それでも、命だけは助かっていてほしいという悲鳴のような声が電脳《でんのう》空間にあふれかえっていました。私《わたし》にできることは、

「もしもうちの寺に逃《に》げていたら、必ず助かっています。寺には広い畳《たたみ》の部屋とストーブ、当座《とうざ》の食料や燃料《ねんりょう》、ロウソクなどの明かりもあります。布団《ふとん》類もたくさんあります」

という情報《じょうほう》を流すことだけでした。

その夜も同じように時は過《す》ぎ、大地震《おおじしん》発生から翌々日《よくよくじつ》となる日曜日の朝が明けました。携帯《けいたい》電話ではなく家の電話が鳴りました。見ると、発信元の市外局番が「0178」。青森県八戸《はちのへ》市の番号です。八戸市には弟の妻《つま》の実家がありました。つかみとるように受話器を取ると、義妹《ぎまい》のお母さんの声が聞こえてきました。

「望《のぞみ》さん？　お寺に行ってきました！　無事でした！　みんな助かりましたよ！」

その時の感情《かんじょう》をなんと表現《ひょうげん》すればよいのでしょう。私《わたし》は泣きながら、

「ありがとうございました。ありがとうございました」

と繰《く》り返していたような気がします。

寺には被災《ひさい》した近隣《きんりん》の方々《かたがた》が一五〇名も避難《ひなん》していたそうです。その中には日本人と結婚《けっこん》したフィリピン人のお嫁《よめ》さんや、技能研修生《ぎのうけんしゅうせい》として滞在《たいざい》中の中国人の若者《わかもの》たち、生まれたばかりの赤ちゃんを連れたお母さんもいました。

普段《ふだん》でも陸前高田市から八戸市までは東北自動車道を使っても四時間ほどかかります。あちらこちらが陥没《かんぼつ》し、波打ち、停電《ていでん》で信号がつかなくなっている道を、還暦《かんれき》（六十歳）を過《す》ぎた義妹《ぎまい》の両親が車を走らせていってくれたのでした。八戸市も地震《じしん》

直後から停電《ていでん》しており、電話が通じません。後で聞けば、私《わたし》に電話をくれるまでに、寺に避難《ひなん》していたたくさんの方々《かたがた》に救援物資《きゅうえんぶっし》を届《とど》けるためもう一回往復《おうふく》してくれたというのですから、頭が下がりました。

すぐに姉にも電話しました。弟一家の無事を知ると姉も電話口で激《はげ》しく泣き出しました。お互《たが》い感情《かんじょう》を抑《おさ》え込《こ》んでいたのが爆発《ばくはつ》したのです。

ツイッターにも家族の無事を書き込《こ》みました。まだ自分の家族の消息がわからない方々《かたがた》から、「よかったね！」という声をたくさんいただいたことに感激《かんげき》しました。でも、こんなに早く無事がわかった私《わたし》のような人間は例外です。たまたま八戸から車を飛ばしてくれた義妹《ぎまい》のご両親のおかげでした。ほとんどの人はまだなんの情報《じょうほう》もないまま、不安に耐《た》えていたのです。入ってくるマスコミの報道《ほうどう》は厳《きび》しいものばかり。早々《そうそう》に現地《げんち》入りした記者たちは、あまりの惨状《さんじょう》に驚愕《きょうがく》しながら情報《じょうほう》を伝えていました。

おびただしい死。人の死は数で測《はか》れるものではなく、たとえ一人の死であってもその人を大切に思う家族や恋人《こいびと》、友人などにとっては掛《か》け替《が》えのない人を失うことです。その死が重なった結果が、報道《ほうどう》で伝える数字なのです。

もしも死者の一覧《いちらん》に私《わたし》の家族の名前が一人でも連なっていたら。その苦しみは想像《そうぞう》するに余《あま》りあります。

数日後には親族の死も知りました。ツイッターに書き込《こ》んだ問い合わせに答えてくれた方がいました。それも伝聞ではなく、直接《ちょくせつ》その一家の一人から話を聞いたという方のものでした。

市街地にあった親族の寺は地域《ちいき》の避難《ひなん》場所に指定されており、逃《に》げてきた方々《かたがた》と集まっていたそうです。そこにも津波《つなみ》は襲《おそ》いかかり、親族五人の命が奪《うば》われてしまいました。私《わたし》の家族が大変お世話になった方たちで、特に私《わたし》が「おじさん」と呼《よ》んでいた住職《じゅうしょく》は、長い間行方《ゆくえ》不明となってしまいました。数カ月後、お骨《こつ》となった状態《じょうたい》で身元がわかったのです。

時間がかかったとはいえ、私《わたし》は「おじさん」が戻《もど》ってきてくれたという事実にホッとしました。なぜなら、陸前高田市では今も市民の人口のおよそ八%にあたる一六〇六名の死者と二〇二名の行方《ゆくえ》不明者がいるからです（二〇二〇年三月十日時点／消防庁災害対策本部発表）。小さな街ですから顔見知りも多く、誰《だれ》もが家族や親戚《しんせき》、友人知人を失いました。想像《そうぞう》してみてください。全校生徒や教職員《きょうしょくいん》五〇〇人の学校の中で、四〇名の方がごっそりと失われてしまったとしたら。

おそらく世界は一変するでしょう。

陸前高田市には景勝地として有名な高田松原《たかたまつばら》があり、七万本の松林と白い砂浜《すなはま》は海水浴場としてたくさんの観光客を集めていました。私《わたし》も子どものころ、よく遊びに行ったものです。津波《つなみ》はその松を引っこ抜き《ぬ》、松ごと市街地を襲《おそ》いました。のちに「奇跡《きせき》の一本松」として知られるようになった松がなぜ残ったのか、不思議なことです。津波《つなみ》は何もかも沖まで持っていく引き波が恐《おそ》ろしいと言われ、襲《おそ》いかかる時以上の凄《すさ》まじい力にも耐《た》えたということですから。

弟から初めて連絡《れんらく》が来たのは十五日の夜でした。携帯《けいたい》電話のメールでごく短く、「家族皆《みな》無事。私《わたし》は災害《さいがい》復旧《ふっきゅう》に従事《じゅうじ》。寺は避難所《ひなんじょ》になり、一二〇名ほどが泊《と》まっている。電気まだ。炊《た》き出し大変。連絡《れんらく》はメールのみ可能《かのう》。また連絡《れんらく》する」とありました。停電《ていでん》したままではどんなに大変でしょう。また「炊《た》き出し大変」ということは食料が不足しているのかもしれないと浮《う》き足立ち、詳《くわ》しく様子を聞こうと返信しましたが、もう通じません。基地局《きちきょく》が被災《ひさい》したため、電波の届《とど》く場所が限《かぎ》られていたのでした。

私《わたし》は心配のあまりいてもたってもいられず、あちこち駆《か》け回ってすぐ食べられそうな食べ物・飲み物や下着、おむつや生理用品、薬、消毒薬《しょうどくやく》などを買い集めて大きな段《だん》ボールに入れ、家の中に積み上げました。宅配《たくはい》ルートが復旧《ふっきゅう》するとすぐ、盛岡《もりおか》の姉のところへ送って他の救援物資《きゅうえんぶっし》といっしょに、震災《しんさい》の一週間後に車で運んでもらいました。当時はガソリン不足で、給油するのも大変だったのです。

姉の訪問《ほうもん》を受けた義妹《ぎまい》からは、

「救援物資《きゅうえんぶっし》はみんなに分けて、とても喜《よろこ》ばれました。何もなくなった人にとって、新品のパンツは一番だったのかな」

とメールが届《とど》きました。現代《げんだい》の清潔《せいけつ》な日本で、一週間も同じ下着を着続けていたとはとびっくりし、どんなに不快《ふかい》な思いをしているだろうかと心配になって、また下着を買いに走りまわったものです。

私《わたし》が地元に帰ったのは、震災《しんさい》発生から二週間以上たった三月二十七日のことでした。運転免許《めんきょ》のなかった私《わたし》には公共交通機関が回復《かいふく》するまで岩手に帰る手段《しゅだん》がなかったのです。地元まで繋《つな》がるJR大船渡線《おおふなとせん》は、沿岸《えんがん》部の気仙沼《けせんぬま》駅から大船渡《おおふなと》市の盛《さかり》駅までが不通となっていました。最寄《もよ》りの小友《おとも》駅は大津波《おおつなみ》で被災《ひさい》し、小さな木造《もくぞう》の駅舎《えきしゃ》は跡形《あとかた》もありません。

津波《つなみ》は実家の墓地《ぼち》から百メートルほど離《はな》れた下の線路をなぎ倒《たお》し、墓地《ぼち》のすぐ下まで迫《せま》ったそうです。そこまで海が盛《も》り上がったということが、私《わたし》にはどうしても想像《そうぞう》できませんでした。

東京から盛岡《もりおか》まで行く深夜バスがようやく運行されるようになると、私《わたし》はさっそく予約を入れてバスに乗り込《こ》みました。東京駅の八重洲口《やえすぐち》から盛岡《もりおか》に向かったバスはなんと十四台。乗り込《こ》む人は誰《だれ》もが支援物資《しえんぶっし》を入れた大きな荷物を持ち、黙《だま》りこくっていました。バスに乗り込《こ》む人々《ひとびと》の群れは、灰色《はいいろ》の薄《うす》い膜《まく》がかかったように見えました。

それでも私《わたし》はようやく郷里《きょうり》に帰って家族に会えるという安心感からか、バスの車内で震災《しんさい》後初めてこんこんと眠《ねむ》りました。乗り込《こ》んだのは十四台目のバスで、席にゆとりがあったのかドライバーさんがいたわるように、「どうぞ、二つ席を使ってください」と言ってくれたのです（当時はあちこちでこういう優《やさ》しさを受けました）。

早朝、東北自動車道を岩手に入るとそろそろ夜明けで、ラベンダー色の空からちらほらと粉雪《こなゆき》が舞《ま》っていました。その年は春が遅《おそ》く、北国はまだ雪が降《ふ》る季節だったのです。

盛岡《もりおか》に到着《とうちゃく》すると、姉の車に乗せてもらって陸前高田に向かいました。峠《とうげ》を越《こ》え、山の方から陸前高田に近づいていきます。すると信じられない光景が現《あらわ》れました。まだまったく海の見えない山間の川に、瓦礫《がれき》が流れ着いていたのです。川は瓦礫《がれき》で埋《う》まり、あたりの家も一階部分が破壊《はかい》されていました。

津波《つなみ》は十キロメートルも川を遡《さかのぼ》ったのです。大地震《おおじしん》に右往左往《うおうさおう》した人たちでも、まさかここまで津波《つなみ》が到達《とうたつ》するとは思っていなかったでしょう。

道路脇《わき》に、ブルーシートに包まれた遺体《いたい》が置かれているのが見えました。まだ見つかる人がいたのです。もっとも今考えれば、二週間で見つかったのは早い方なのかもしれません。多くの死者のうち、私《わたし》が初めて見た遺体《いたい》でした。一体どこからこんな山の中まで運ばれてきたのだろう。そう思いました。

実家に着いてみると、景色は一変していました。広く、いつも静かな境内《けいだい》は、人でごった返しています。知っている顔はいません。庭のツツジの植え込《こ》みには洗濯物《せんたくもの》が広げられ、ドラム缶《かん》に火が焚《た》かれていました。周りには無言の男たちが集まっています。

小一の甥《おい》の晃《ひかる》がチャンバラごっこをしているのが見えました。避難《ひなん》してきた子どもたちがたくさんいて、その子たちと遊んでいたのです。名前を呼《よ》ぶと、「あ」と手を振《ふ》って、そのまま遊びに戻《もど》っていきました。屈託《くったく》のない元気そうな表情《ひょうじょう》にホッとしました。小四の姪《めい》・朱絵《あやえ》もお友達と遊んでいました。

そこから少し離《はな》れたところに、小六の一絵《いちえ》がいました。彼女《かのじょ》は妹弟《きょうだい》とは違《ちが》い、大きな目を伏《ふ》せ、沈《しず》んだ顔で立っていました。おそらく洋服はずっと着たきりなのでしょう。顔も髪《かみ》も薄汚《うすよご》れていました。

我《わ》が家は被災《ひさい》したわけではないので自宅《じたく》には着替《きが》えもあります。しかし弟夫婦《ふうふ》の方《ほう》針《しん》で、家族も被災者《ひさいしゃ》と同じ生活をすると決め、避難《ひなん》してきた方たちと一緒《いっしょ》に庫裏《くり》で生活していたそうです。着替《きが》えはもちろん、歯ブラシが全員分揃《そろ》うまでと、歯磨《はみが》きもしなかったと聞きました。

一絵に近づいて両手を広げると、その中にひっそりと入ってきて、私《わたし》の体に手を回して小さな声で言いました。

「あのね、津波《つなみ》、とっても怖《こわ》かったんだよ」

抱《だ》きしめると、もともと細い体がさらに細くなったように思え、二週間も来られなかった自分が情《なさ》けなくて涙《なみだ》がこぼれました。行動力のある人は自家用車ですでに何往《おう》復《ふく》もして物資《ぶっし》を運んだり、家族を探《さが》し求めて避難所《ひなんじょ》や遺体《いたい》安置所を回ったりしていたのです。知らない大人たちの中で、どんなにか心細かったでしょう。

「ごめんね、ごめんね」

という言葉しか、出てきません。

同じように避難所《ひなんじょ》生活を送っていても、幼《おさな》い妹弟とは受けとめ方が違《ちが》うようでした。そろそろ思春期に入ろうという時期、しかも卒業式を控《ひか》えた時期の出来事で、どれほど不安だろうかと心配でなりませんでした。それでも私《わたし》が実家に泊《と》まれる状態《じょうたい》ではなかったので、暗くならないうちにまた姉と一緒《いっしょ》に二時間かけて盛岡《もりおか》まで戻《もど》らないといけません。北上山地を越《こ》えていく峠《とうげ》道は暗く、地震《じしん》でヒビが入ったり、波打ったりしているところがあって危険《きけん》だったからです。

弟は市役所に行ったきり。市役所の建物は屋上を残して津波《つなみ》にやられていたので、高台にある給食センターが仮《かり》の市役所になっていました。支援《しえん》に飛び回っているらしく、頼《たの》まれた物資《ぶっし》を届《とど》けに行っても会えませんでした。義妹《ぎまい》も避難所《ひなんじょ》の采配《さいはい》に大忙《おおいそが》しです。

行きは山道を通りましたが、帰りは被災状況《ひさいじょうきょう》を私《わたし》にも見せたいという姉の配慮《はいりょ》で、被災《ひさい》した市街地に自衛隊《じえいたい》が即席《そくせき》で作った道を通っていきました。目《ま》の当たりにした光景を何と表現《ひょうげん》すればよいのでしょう。

道以外は見渡《みわた》す限《かぎ》り、瓦礫《がれき》の山です。その高さ、四メートルはあったでしょうか。両側に壁《かべ》となって積み重ねられた瓦礫《がれき》、瓦礫《がれき》、瓦礫《がれき》。

この「ガレキ」とは、たくさんの人たちが生活を営《いとな》み、結婚《けっこん》し、子どもを育て、働いてきたあかしそのものでした。家、車、家具、食器、洋服、学用品、写真。お店の看板《かんばん》。驚《おどろ》いたのは、建物を支《ささ》えていた鉄骨《てっこつ》がヘアピンのようにぐんにゃりと曲がっていたことでした。一体どんな力が加わればこんな風になるのでしょう。

あちこちに松の木も横たわっています。懐《なつ》かしい高田松原の松でした。七万本の松の木は引き抜《ぬ》かれ、流れのままにあちこちに運ばれていったのです。この光景はテレビでたくさん映《うつ》し出されました。しかしテレビで見られるのはあくまでも画面の大きさに限《かぎ》られます。三百六十度、ぐるりと見渡《みわた》す限《かぎ》り瓦礫《がれき》の壁《かべ》に囲《かこ》まれている圧迫感《あっぱくかん》はSFを見ているような感覚でした。あたりにはたくさんの自衛隊員《じえいたいいん》の方がいて、行方《ゆくえ》不明者の捜索《そうさく》を続けていました。

　人間はあまりにも大きな衝撃《しょうげき》を受けると、涙《なみだ》も出ないものらしいのです。今もあの光景を思い浮《う》かべると、「あれは現実《げんじつ》に起きたことだったのだろうか？」と考えてしまいます。自然とは、人間の営《いとな》みなどあっという間に粉砕《ふんさい》する力があるのだと、思い知らされました。地震《じしん》も津波《つなみ》も、長い地球の歴史《れきし》から見ればちょっとした咳《せき》やくしゃみのようなものかもしれません。

　人間が生まれ、さまざまな人の手によって育てられ、生き、死んでいく間には、たくさんの喜怒哀楽《きどあいらく》があります。私《わたし》たちの記憶《きおく》は日々《ひび》のこまごまとした出来事が積み重なってできており、他人から見ればどうということのないこと、例えば高田松原へ家族みんなで海水浴へ行った日の、松林に差し込《こ》んでいた光や湿《しめ》った砂《すな》の匂《にお》いなどは、今もたまらなく懐《なつ》かしいものです。

　ところが大津波《おおつなみ》は、人々《ひとびと》の膨大《ぼうだい》な記憶《きおく》の集積を、テーブルの上に置かれた本をさっとなぎ払《はら》うかのように破壊《はかい》しつくしてしまいました。

　私《わたし》は姉に、

「あんまりにもひどい光景を見ると泣けないんだね」

と言いました。姉がこの景色を見るのは二度目です。初めて見たときは、やはり涙《なみだ》が出なかったと言っていました。

自宅《じたく》にいる時はテレビで次々《つぎつぎ》に伝えられる被災地《ひさいち》の被害《ひがい》を見ながら涙《なみだ》をぬぐっていたのに、じかにその場を見るとかえって非現実的《ひげんじつてき》に見えるのです。自然の力の大きさと、それに比較《ひかく》してあまりにも小さな人間たち。その落差をどうしても埋《う》めきれなかったのかもしれません。

盛岡《もりおか》に着いて食事をとると、ホテルで一休みしてから東京へ向かう深夜バスに乗りました。実は一体どこから乗ったのか、道中どんな気持ちだったのか、まったく記憶《きおく》にありません。ようやく家の様子を確認《かくにん》できて力が抜《ぬ》けていたのかもしれません。ただ、池袋《いけぶくろ》駅でバスを降《お》りた時に、何事もなかったかのように通勤《つうきん》していく人々《ひとびと》の群れを見て、

「東京は異界《いかい》だ」

と思ったことを覚えています。つい十数時間前に見てきた景色と東京のそれとはあまりにも違《ちが》いすぎました。そこは「災厄《さいやく》」と「死」が覆《おお》い隠《かく》された、偽《いつわ》りの世界のように思えたのです。

「偽《いつわ》りの世界」とは言い過《す》ぎではないか、と思われるかもしれません。実際《じっさい》、新型《しんがた》コロナウイルスの世界的流行は世界を変えてしまいました。コメディアンの志村《しむら》けんさんや女優《じょゆう》の岡江久美子《おかえくみこ》さんが発症《はっしょう》からあっという間に亡《な》くなってしまった頃《ころ》から、都市部の空気は一変したように思います。

でもそれまでは相変わらず、「死」は他人事《ひとごと》でした。全国で起こった大災害《だいさいがい》のことも、気の毒《どく》だと思いながら自分のこととは思えなかったという人がほとんどでしょう。

東京は治安が良い大都市で、交通事故《じこ》の死者も毎日数名出るかどうか。殺人事件《さつじんじけん》は大きなニュースになります。しかし実際《じっさい》には、病気などで亡《な》くなる方は年間約十二万人にも及《およ》びます。冬の寒い時期や猛暑《もうしょ》の時期などなかなか火葬場《かそうば》の予約もできません。

それでも私《わたし》たちは、すぐ隣《となり》に存在《そんざい》する死者を意識《いしき》せずに生きています。最近は病院で亡《な》くなっても自宅《じたく》に戻《もど》らず、葬祭場《そうさいじょう》の安置室などに遺体《いたい》を運んで安置することが多いのではないでしょうか。霊柩車《れいきゅうしゃ》も目立たないデザインが増《ふ》えてきました。以前はお寺の伽藍《がらん》を模《も》した豪華《ごうか》なものが多く、街で走っていると一目でわかったものです。

東日本大震災《ひがしにほんだいしんさい》の被災地《ひさいち》では、「大量死」が平穏《へいおん》な生活のすぐそばにあったことを、嫌《いや》というほど見せつけられました。毎日おびただしい死者の名が新聞の紙面に躍《おど》り、死者の物語が繰《く》り返し語られていました。私《わたし》もそれに何度も涙《なみだ》しましたが、頭のどこかで、自分が安全な東京にいて悲しんでいることに欺瞞《ぎまん》も感じていたのです。

最初の帰省の後も、何度か実家に戻《もど》りました。避難所《ひなんじょ》への物資《ぶっし》は潤沢《じゅんたく》に届《とど》くようになりましたが、それでも行き届《とど》かないものを教えてもらい、送ったり運んだりしました。日本中の方がお金や物資《ぶっし》を寄付《きふ》し、炊《た》き出しなどのボランティアに来てくださいました。

相変わらずツイッターでの情報交換《じょうほうこうかん》も続けていましたが、残念なことに多くの方々《かたがた》は実家を流され、大切な家族を失いました。海に近い場所に一族が固まって住んでいた場合、三十人近い親族を失ったという方にも出会いました。自宅《じたく》近くの瓦礫《がれき》の山を探《さが》していて、小さな女の子の遺体《いたい》を見つけた方もいます。

死はすぐ隣《とな》り合わせにある。それが現実《げんじつ》でした。

もともと東京はじめ大都市は多くの死者を孕《はら》んだまま発展《はってん》してきました。江戸《えど》は風が強いせいか大火の多いところで、何しろ建物が木と紙と土でできていますから、一《いっ》旦《たん》火が出るとひとたまりもなく焼けてしまいました。一説によれば、江戸《えど》時代の二百六十七年間に江戸《えど》で起きた大火は四十六回。とりわけ明暦《めいれき》の大火では死者数が十万人以上と推定《すいてい》されています。また、安政《あんせい》の大地震《おおじしん》では揺《ゆ》れとその後に発生した火事で、万単位の死者が出ました。

その後も関東大震災《だいしんさい》の地震《じしん》と火事による死者・行方不明者約十万五〇〇〇人、米軍による東京空襲《くうしゅう》による死者が約十万五四〇〇人。これらすべての死者がきちんと葬《ほうむ》られたとは考えにくく、「東京は死者の上にできた大都市である」とすら言えるかもしれません。

そのようなことを考えると、実は東京は「砂上《さじょう》の楼閣《ろうかく》（砂《すな》の上に建てられた立派《りっぱ》な建物のように、長く維持《いじ》できないことやもののこと）」そのものかもしれないと思うことがあります。高層《こうそう》ビルが立ち並《なら》び、夜ともなればビルのネオンやマンションの灯《あか》りが美しい夜景を作っている世界有数の大都市も、ひとたび関東大震災《だいしんさい》級の地震《じしん》や火災《さい》が起きたら、再《ふたた》びおびただしい数の死者が出るはずです。でも、そんなことをいつも考えていたら生きていけません。

ただ、陸前高田で見た圧倒的《あっとうてき》な破壊《はかい》と死の気配を持ち帰ってきた私《わたし》には、隣《とな》り合わせにある死を見つめずに生きているこの街が歪《ゆが》んで見えただけのことでしょう。

実は東京も、いわゆる「震災死《しんさい》」と無縁《むえん》だったわけではありません。千代田区にあった九段会館《くだん》では天井が崩《くず》れ落ちて、二人の方が亡《な》くなりました。今では関係者以外、覚えている人は少ないかもしれません。

また、江戸川区《えどがわく》にある瑞江斎場《みずえさいじょう》には、東北地方からたくさんのご遺体《いたい》が運ばれて茶毘《だび》にふされました。東北ではどこも焼き場がパンクしていて、次々《つぎつぎ》に見つかる身元不明の遺体《いたい》をいつまでも安置所に置いておけなかったからです（地域《ちいき》によっては一旦《いったん》土葬《そう》されて、後日掘《ほ》り起こされ、改めて茶毘《だび》にふされました）。

私《わたし》の弟も仕事として遺体《いたい》を運ぶトラックに同乗し、瑞江斎場《みずえさいじょう》までやってきたことがあります。次々《つぎつぎ》に茶毘《だび》にふし、お骨《こつ》を持ち帰るのです。それがどんなに異常《いじょう》な事態《じたい》だったか、想像《そうぞう》してみてください。

弟は、いつまでも安置所に置かれていた赤ちゃんの遺体《いたい》のことを心配していました。引き取り手がいなかったのです。

「家族がみんな亡《な》くなってしまったのかなあ。そうでなければ、赤ちゃんが行方《ゆくえ》不明だったら必死で探《さが》すだろう」

その赤ちゃんの遺体《いたい》も、瑞江斎場《みずえさいじょう》で焼かれました。

それから何カ月も、いや、何年もの間、私《わたし》は東日本大震災《ひがしにほんだいしんさい》のことばかり考えて暮《く》らしていたように思います。特に最初の半年ほどは、すっぽりとそれ以外の記憶《きおく》が抜《ぬ》けています。当時は仕事も忙《いそが》しく、支援《しえん》活動をしながらせっせと東北以外の土地へ取材に行き、原稿《げんこう》も書いていたはずなのですが、震災《しんさい》関連以外の仕事のことは思い出すことができないのです。それほど私《わたし》の人生にとっては大きな出来事でした。

大津波《おおつなみ》と福島第一原発の事故《じこ》によって、日本は大きく揺《ゆ》らいでしまいました。現場《げんば》には助け合いがあり、全国、いや、世界中からの支援《しえん》がありました。その一方でさまざまなデマが飛び交い、言葉の刃《やいば》が知らない人同士《どうし》の間で交《か》わされました。放射能《ほうしゃのう》を逃《のが》れて福島から全国各地に逃《に》げた人たちに、いわれのない差別もあったのです。

新聞やテレビでは毎日身元が判明《はんめい》した新しい死者の情報《じょうほう》が掲載《けいさい》されていました。生き延《の》びた方たちの膨大《ぼうだい》な人間ドラマもあふれていました。ただ、東京にいる私《わたし》と被災《ひさい》地《ち》に暮《く》らす人たちとの距離感《きょりかん》は、物理的な距離《きょり》よりも遥《はる》かに大きかっただろうと思います。

陸前高田市役所の仮庁舎へ行くと、手書きの「尋《たず》ね人」のチラシがたくさん貼《は》ってあります。家族の名前や年格好《としかっこう》、被災《ひさい》したと思われる場所。そのほかわかる情報《じょうほう》はなんでも書き込《こ》まれていました。きれいに印刷された行方《ゆくえ》不明者一覧《いちらん》からは伝わらない必死さが、手書き文字から伝わってきたものです。

毎日、避難所《ひなんじょ》を訪《たず》ね歩いていた人たちが、いつしか遺体《いたい》安置所へと探索《たんさく》の場を移《うつ》して行かねばならない。それが現実《げんじつ》でした。

私《わたし》の弟は何カ月もの間、それまで伸《の》ばしたことのなかった髭《ひげ》をたくわえていました。もともと髭《ひげ》が似合《にあ》うタイプでもないけれど、震災《しんさい》後は何日も髭《ひげ》を剃《そ》るどころではなかったため、それが続いているだけだろうと思っていました。実家の避難所《ひなんじょ》は七月まで運営《うんえい》されていたので、私《わたし》が帰ってもゆっくり話す時間もありませんでした。

実は、彼《かれ》の髭《ひげ》はある種の願掛《がんか》けだったのです。弟は大地震《おおじしん》が起きた時には市役所で仕事をしていましたが、大きな揺《ゆ》れがおさまるとすぐに、避難誘導《ひなんゆうどう》のために外へ出て車で自宅《じたく》に向かいました。寺の下にある地区の誘導《ゆうどう》を担当《たんとう》していたからです。車を家に置いて、走って担当《たんとう》地区に向かった時に、大きな黒い波が襲《おそ》いかかるのを見たそうです。タイミングが悪ければ死んでいても不思議ではありませんでした。

弟の直属《ちょくぞく》の部下は市民を市の中心部にある市民会館へ誘導《ゆうどう》する係でした。市民会館には一〇〇名以上の方が逃《に》げましたが、天井近くまで達した津波《つなみ》のため、助かった人はわずかでした。部下も行方《ゆくえ》不明になってしまったのです。

たまたま、担当《たんとう》地区が違《ちが》ったことが二人の運命を分けました。震災《しんさい》後は部下を探《さが》すため、忙《いそが》しい仕事の合間に遺体《いたい》安置所をまわっていましたが、なかなか見つかりません。弟の髭《ひげ》には、「一日も早く彼《かれ》が見つかるように」という願いが込《こ》められていたのです。私《わたし》がその話を聞いたのはずっと後のことでした。

私《わたし》はあえて、弟たちに死者の話を聞こうとはしませんでした。親しかった人のことほど話したくないだろうと思ったのです。安全地帯にいる人間が、いくら身内だからといって苦しみに手を突《つ》っ込《こ》むようなことはしたくありません。

それでもたまに、以前弟が何かのエピソードとして話してくれた人のことを「あの人はどうしたかな?」と聞くことはありました。しかしその答えはことごとく「亡《な》くなった」という短いものでした。

大事な人を亡《な》くしても、遺体《いたい》が見つかった方はまだいい。行方《ゆくえ》不明のままの方も少なくありません。いわば、海がお墓《はか》になってしまったのです。同じ立場に立った時のことを想像《そうぞう》してみると(想像《そうぞう》しきれるものではありませんが)、おそらくは自分の一部をもぎ取られたまま一生を送るのだろうという気がします。

うちの寺の教義《きょうぎ》では死ねばお浄土《じょうど》に還《かえ》ることになっていますが、それと実感とはまた別です。「四苦八苦《しくはっく》」という言葉を聞いたことがありますか？　仏教《ぶっきょう》において人間が生きていく時の苦しみを表現《ひょうげん》したものですが、「生老病死《しょうろうびょうし》」の「四苦《しく》」の他に、

愛別離苦《あいべつりく》（愛する人・ものと別れなければならない苦しみ）
怨憎会苦《おんぞうえく》（怨《うら》んだり憎《にく》んだりする相手と会わなければならない苦しみ）
求不得苦《ぐふとくく》（求めるものが得《え》られない苦しみ）
五蘊盛苦《ごうんじょうく》（心と体の働きが盛《さか》んであることによって生まれる苦しみ）

があります。全部で「八苦」です。

東日本大震災《ひがしにほんだいしんさい》のありさまを見るたびに、私《わたし》は「ここは『愛別離苦《あいべつりく》』の現場《げんば》なのだ」と思わずにはいられませんでした。愛する人との別れはもちろん、大切な家や家財道《かざい》具を失い、思い出たっぷりの景色は一変してしまいました。

福島県では一見何も変わらないのに、放射能《ほうしゃのう》に汚染《おせん》された我《わ》が家から避難《ひなん》した人も

います。大切なペットや家畜《かちく》も置き去りにしなくてはいけませんでした。のちに置き去りにされたペットが推定《すいてい》一万二〇〇〇頭いて、多くは過酷《かこく》な運命をたどったと聞き、残していった人たちの苦しみはいかばかりかと思ったものです。これもまた、「愛別《あいべつ》離苦《りく》」です。

その一方で、人間の持つ強さを感じることもありました。

私《わたし》は東日本大震災《ひがしにほんだいしんさい》の翌年《よくとし》、宮城県気仙沼市《けせんぬまし》へ取材に行きました。郷里《きょうり》のすぐ南の町です。県境《けんざかい》で接《せっ》しているものの、江戸《えど》時代は同じ仙台藩《せんだいはん》の領地《りょうち》で文化的にも気候的にもよく似《に》ています。震災《しんさい》後、陸前高田市と違《ちが》って高台にあった市の庁舎《ちょうしゃ》は無事でしたが、遠洋漁業基地《きち》だった港はほぼ壊滅《かいめつ》し、巨大な漁船・第十八共徳丸《きょうとくまる》が奥《おく》まで運ばれて津波《つなみ》の威力《いりょく》をまざまざと見せつけていました。

内陸の一関市で東北新幹線《とうほくしんかんせん》を降《お》り、実家まで一本で行けるバスで帰省するたびに気《け》仙沼《せんぬま》市を通るのですが、高台から港のそばを走っていき、さらされたままの第十八共徳丸を見るたびに、あまりにもシュールな光景に目を見張《みは》っていたものです。目の前にあることなのに、心が納得《なっとく》することを拒否《きょひ》しているようでした。

港のすぐそばに立っていた魚市場はコンクリート造《づく》りだったので、流されずに残っていました。大津波《おおつなみ》に襲《おそ》われた夜は屋上に千人以上の人が避難《ひなん》し、大きなタンクから漏《も》れた重油に火がついてそれが海面を漂《ただよ》う瓦礫《がれき》に移《うつ》り、大火災《だいかさい》に見舞《みま》われたさまを見ていたのです。

漁協関係者の一人に当時の話を聞いてみました。家は流されてしまったというその人は、思いがけなく意気軒昂《いきけんこう》でした。大きな地震《じしん》に見舞《みま》われたあと、すぐに市場の屋上に夫婦《ふうふ》で逃《に》げたそうですが、繰《く》り返し襲《おそ》いかかる津波《つなみ》を見たときに、

「俺《おれ》は、『自然は偉大《いだい》だ！　自然は偉大《いだい》だ！』と思ったんだ」

というのです。場違《ばちが》いとも思われる言葉は、この方が長年「海の男」として生きてきたからこそ出てきた言葉かもしれません。家を失い、そこにいたはずの老いたお母さんのことを心配しながら、一方では自然の偉大《いだい》さに心を動かされる。

私《わたし》はその人の強さに感動していました。彼《かれ》に悲しみや悔《くや》しさがないわけはない。人間の心にはさまざまな部屋があって、私《わたし》になど語れない思いを閉《と》じ込《こ》めた部屋もあるに違《ちが》いありません。

おそらくは、海の仕事をしてきて、どうにもできないほど大きな自然の威力《いりょく》や人間の小ささを何度も学んできたのでしょう。それも自分の肉体に刻《きざ》むような切実さで。

私《わたし》自身は豊《ゆた》かな自然に恵《めぐ》まれた岩手県で生まれ育ちました。海側の陸前高田市はあまり雪が降《ふ》りませんが、高校時代に内陸部の花巻《はなまき》市で暮《く》らしていた時は、真冬になると真横に吹《ふ》き付ける雪嵐《ゆきあらし》の中を学校に通っていました。家のある住宅街《じゅうたくがい》から高校までは田んぼが広がっていたので、遮《さえぎ》るものとてなかったのです。前に歩けないほどの強風の日もありました。

今なら間違《まちが》いなく車で送ってもらうでしょうが、当時は公共交通機関のほかはほとんどの生徒が徒歩や自転車です。雪嵐《ゆきあらし》など日常《にちじょう》だったので、親にも子どもにも休むとか遅刻《ちこく》するという発想がなかったのだと思います。

真冬の北国では一歩間違《まちが》えば、死ぬ恐《おそ》れさえあります。

といっても、寒く辛《つら》いことばかりではありません。北国は冬こそ美しく、雪のやんだ後、根雪の上で雪の結晶《けっしょう》がキラキラと雲母《うんも》のように光るさまは、気温の低い土地ならではの光景です。肉眼《にくがん》でも、手のひらに降《ふ》ってきた雪が六角形の結晶《けっしょう》の集積体だとわかるのです。一つとして同じ形のない美しさ。辛《つら》いことは忘《わす》れても、美しいことは忘《わす》れないものです。

宮澤賢治《みやざわけんじ》の作品に《水仙月《すいせんづき》の四日》という童話があります。「水仙月《すいせんづき》」という美しい名前がさす季節がいつのことか、今でも論議《ろんぎ》がありますが、水仙《すいせん》が咲《さ》く早春であり、しかしまだ雪嵐《ゆきあらし》も吹《ふ》く頃《ころ》のことなのでしょう。

赤いケット（毛布《もうふ》）をかぶった子どもが家の方へ急いで歩いていると、そこに雪童子《ゆきわらす》がやってきます。雪童子は子どもをからかって遊びますが、子どもにはその姿《すがた》が見えません。雪童子が鞭《むち》を振《ふ》るうと、雪が降《ふ》り始め、子どもを包みます。雪婆《ゆきば》んごが姿《すがた》を表したのです。雪婆《ゆきば》んごはさらに鞭《むち》を振《ふ》るう雪童子たちを駆《か》り立てます。

「ひゅう、ひゅう、さあしっかりやるんだよ。なまけちゃいけないよ。ひゅう、ひゅう、さあしっかりやってお呉《く》れ。今日はここらは水仙月《すいせんづき》の四日だよ。さあしっかりさ。ひゅう。」

どこが丘《おか》なのか雪けむりなのか空なのかわからないほど雪が降《ふ》りしきり、その中で子どもの泣き声が聞こえます。もう進むべき道がわからなくなり、不安でいっぱいになって泣いているのです。ところが雪婆《ゆきば》んごは「水仙月《すいせんづき》の四日だもの、一人や二人とったっていいんだよ」と恐《おそ》ろしいことを言います。

子どもが哀《あわ》れになった雪童子は、雪婆《ゆきば》んごに見えないようにしながら雪の上に倒《たお》れたその子の上にこっそり赤いケットをかけ、さらに雪で覆《おお》い隠《かく》してしまいます。雪山で遭難《そうなん》した時に雪穴《ゆきあな》を掘《ほ》ってビバーク（野営《やえい》）する要領《ようりょう》でしょうか。子どもはそのまま眠《ねむ》ってしまいます。

翌朝《よくあさ》雪が止むと雪童子は、今度は子どもにかけた雪を掘《ほ》り、ちょっとだけ赤いケットが見えるようにしておきました。探《さが》しにきた子どもの父親のための目印にしたのです。狙《ねら》い通り、父親が赤いケットを見つけて走り出すところで物語は終わります。

短いけれど忘《わす》れがたいきらめきを持ったこの作品を読むと、私《わたし》は花巻《はなまき》の地吹雪《じふぶき》を思い出さずにはいられません。自宅《じたく》があった郊外《こうがい》の住宅地《じゅうたくち》から学校までは水田や小さなお社《やしろ》のある鎮守《ちんじゅ》の森が続いていましたが、地吹雪《じふぶき》が吹《ふ》き荒《あ》れたあとはただの真っ白な平原になってしまい、鎮守《ちんじゅ》の森は白い海に浮《う》かぶ船のよう。側溝《そっこう》も埋《う》まってしまうため、よく片足《かたあし》だけ落っこちたものです。ホワイトアウトと言われる平衡《へいこう》感覚さえ失うような雪嵐《ゆきあらし》と、その後の晴れた朝の美しさは今も心に焼きついています。

春の兆《きざ》しが見えた時期にもしばしば雪嵐《ゆきあらし》が襲《おそ》ってきました。気温が少し上昇《じょうしょう》して気がゆるんだ頃《ころ》、再《ふたた》び襲《おそ》う雪嵐《ゆきあらし》。自動車が一般《いっぱん》には行き渡《わた》らなかった時代、人々《ひとびと》は遠くまで馬や橇《そり》を使って物資《ぶっし》を運びました。遭難《そうなん》の危険《きけん》は少なくなかったことでしょう。

《水仙月《すいせんづき》の四日》に出てくる子どもも、前日に橇《そり》で木炭を運んでいたことになっています。賢治《けんじ》の美しい雪嵐《ゆきあらし》の描写《びょうしゃ》は、花巻《はなまき》の冬を知っている私《わたし》にはとてもリアルに感じられます。

冬に限《かぎ》らず、自然とは恐《おそ》ろしくも美しいものだという感覚が、私《わたし》にはあります。大震災《だいしんさい》後、しばらくして実家に戻《もど》った時、目の前に広がる広田湾《わん》がこれまでになく青く見えたことがありました。津波《つなみ》が持っていってしまった砂浜《すなはま》の砂《すな》が湾《わん》の中に沈殿《ちんでん》し、そこに陽光が照っていたからでしょう。まず大地震《おおじしん》で地盤《じばん》が一メートルも沈下《ちんか》し、次に大津波《おおつなみ》が砂《すな》を運んでいったらしいのです。

広田湾《わん》はミネラル分の多いとても豊《ゆた》かな海で、いつも海藻《かいそう》が繁殖《はんしょく》しているため、津《つ》波《なみ》の前はお天気の良い日でも黒っぽく見えていました。海水浴に行くと、海藻《かいそう》が脚《あし》に絡《から》んで泳ぎにくいほどでした。その海藻《かいそう》も根こそぎ何処《どこ》かへ運ばれていったのでしょう。

そんな海が、南国のような透明感《とうめいかん》のある青に変わっていました。目に鮮《あざ》やかでとても美しいものでしたが、ところどころ大きな黒い塊《かたまり》が見えていたのは瓦礫《がれき》が集まったものだと教わりました。

「その中にまだ人がいるらしい」

とも聞かされました。

美しさとは裏腹《うらはら》の過酷《かこく》さ。自然のなすことは、情《なさ》け容赦《ようしゃ》がありません。でも、人間も自然の一部です。私《わたし》自身がそれをどこかで受け入れているのは、やはり自然の中で育ってきたからだろうと思います。

東日本大震災《ひがしにほんだいしんさい》から九年が経《た》ち、被災《ひさい》しなかった私《わたし》の実家は一見元に戻《もど》ったように見えます。もっともいったん寺の境内《けいだい》を出れば、そこには一変した暮《く》らしがあります。家など立っていなかった裏《うら》の高台にはたくさんの住宅《じゅうたく》が建てられ、新しい住民が増《ふ》えました。一方平地だったところはすべてが流されてしまったので、今では田んぼやただの草はらになっています。お盆《ぼん》に帰省して犬の散歩でそのあたりを歩くと、

「夏草や兵《つわもの》どもが夢《ゆめ》の跡《あと》」

という芭蕉《ばしょう》の句《く》そのものです。草はらの中に百合《ゆり》の花を見つけ、折って持ち帰ろうと思ったけれど、あまりにも草が深くてたどり着けませんでした。

その中で、健《すこ》やかに変わった点といえば、小さかった弟の子どもたちが大学や高校

に進学したことでしょう。全員、私《わたし》の背《せ》を追い越《こ》すほどに大きくなりました。姪《めい》ふたりは上京し、それぞれ大学に通っています。

これまで私《わたし》は改めて彼《かれ》らの話を聞いたことはありませんでした。当時小一だった甥《おい》の晃はまだ小さかったせいか、避難所《ひなんじょ》生活でもいろいろな方に可愛《かわい》がっていただき、毎日違《ちが》う方の隣《となり》に布団《ふとん》を敷《し》いて眠《ねむ》るほどでした。それでも時々《ときどき》は津波《つなみ》の夢《ゆめ》にうなされて泣くと聞き、傷《きず》の深さを思ったものです。

あの日、同じ場所で大津波《おおつなみ》を経験《けいけん》したわけではない私《わたし》が、たとえ身内とはいえ、安易《あんい》なことは聞けないと思って生きてきました。気にならなかったわけではありません。特に一番上の一絵は思春期に入りかけの時期にぶつかり、私《わたし》が初めて帰った時もしがみついてきた記憶《きおく》が残っていて、どんなふうにあの災害《さいがい》を受け止めたのか一度きちんと聞いておきたいと思いました。

以下はその記録です。一絵は大地震《じしん》が起きた時、まだ妹たちと小学校にいました。揺《ゆ》れが収《おさ》まるとすぐに義妹《ぎまい》は車を出して、帰る途中《とちゅう》だった晃を見つけて車に乗せ、小学校に向かいました。まもなく津波《つなみ》がやってくるのを見た人が、「津波《つなみ》だ！」と叫《さけ》んだのだそうです。

――最初に見たときは、すぐ津波《つなみ》だと思ったの？

「ううん、黒い壁《かべ》みたいなものが見えたんだけど、何も判断《はんだん》できなかった。誰《だれ》かが『津波《つなみ》だ！』って言ったから先頭を走って逃《に》げたけど、言われなかったらわからなかったと思う。小学校の駐車場《ちゅうしゃじょう》にたくさん車が止まっていて、子どもを迎《むか》えにきた人たちの車もあったし、その中にペットを乗せていた人も結構《けっこう》いたの。津波《つなみ》が来て、ペットが車に乗ったまま流されていったのを見てしまった。あそこで人は亡《な》くならなかったけど、動物の命がこんなにも簡単《かんたん》になくなっていく瞬間《しゅんかん》を見るのは信じられなかった」

――晃はお母さんに「車の中で待ってる？」と言われて、「一緒《いっしょ》に降《お》りる」と言って降《お》りたんだよね。

「そう。晃が怖《こわ》がりでよかったよね。そうじゃなかったら目の前で流されてた。

そのあと高台にある公民館の方へ逃《に》げたんだけど、陸前高田の町の方がまっさらになっているのが見えた。建物が何にもなくて、高田松原があったところまで見通せたんだよ。そして、山と同じような高さの津波《つなみ》がまた襲《おそ》ってくるのが見えた。たぶん第二波の一番高い波だったんだと思う。

よく遊んでいた子の妹が私《わたし》の隣《となり》にいて、『私《わたし》の家はどうなったの？』ってずーっと言っていたの。その子の家は流されちゃったんだけど、当たり前にあったことがなくなるって、辛《つら》いという一言では表現《ひょうげん》できない。ものすごくしんどいことだよね。あまりにも強大な理不尽《りふじん》というのかな」

――具体的にたくさんの人が亡《な》くなったんだと認識《にんしき》したのはいつ頃《ごろ》のこと？

「その日、うちの庫裏《くり》が避難所《ひなんじょ》になって一五〇人くらいの人が集まっていたでしょ。停電《ていでん》で真っ暗な中で、いろいろな声が聞こえてきたの。誰《だれ》がいないとか、船がどうなったとか。そこでやっと『あ、とんでもないことが起こったんだ』と認識《にんしき》した。三日目くらいからみんなが動き始めて、行方《ゆくえ》不明の人を探《さが》すようになったの」

――小さい頃《ころ》からの知り合いも亡《な》くなったよね。

「当時中学二年生の先輩《せんぱい》たちが八人行方《ゆくえ》不明になっていて、その中には友達のお兄さんとか、よく遊んでくれた人なんかも含《ふく》まれていた。あとは先輩《せんぱい》のご両親とか。安置所の写真ファイルがあったの。それは遺体《いたい》の写真が集められていて、身元確認《かくにん》用に避《ひ》難所《なんじょ》に配られたものだったんだけど、お父さんやお母さんには絶対《ぜったい》に見るなと言われていた。それがとても嫌《いや》だった。私《わたし》の中では行方《ゆくえ》不明の知り合いは『まだ生きている人』だったんだけど、もしかするともう亡《な》くなっていて、写真ファイルに含《ふく》まれていたのかもしれない。

いろんな方が亡《な》くなってしまったけど、泣ける状況《じょうきょう》にもなくて、泣くことができなかった。避難所《ひなんじょ》での共同生活だったから、お父さんやお母さんともゆっくり話せなかったしね。私《わたし》たちは避難所《ひなんじょ》を運営《うんえい》している側の人間だったでしょ。もっと辛《つら》い人がたくさんいたから、ちょっとでも感情《かんじょう》が出てしまいそうなことは言ってはいけないという雰囲気《ふんいき》があったの。たまに話せてもなんだか事務連絡《じむれんらく》みたいだったな」

――当時、写真家の今村拓馬《いまむらたくま》さんが庫裏《くり》の廊下《ろうか》で撮《と》ってくださった写真があったよね。全然笑顔のない写真。

「後で見たときに、自分があんなに怖《こわ》い顔をしているとは思わなかった。私《わたし》は写真で笑わないってことがなかったヒトだから、あれが唯一《ゆいいつ》笑ってない写真だったと思う。とにかくみんながそれぞれストレスを溜《た》めている状況《じょうきょう》だったでしょ。私《わたし》も家はあったけど、実際《じっさい》にはなかったようなものだったよ」

ここに出てくる「先輩《せんぱい》たち」は全員が野球部でした。授業《じゅぎょう》が終わったあと自転車で市街地へ遊びに行っていて地震《じしん》と津波《つなみ》に遭遇《そうぐう》したのです。

その後、何日間も中学校の先生たちは街の瓦礫《がれき》をほとんど道具もないままに掘《ほ》り返し、生徒を探《さが》して歩いたそうです。残念ながら、全員が亡《な》くなっていました。姪《めい》が四月から進学することになっていた一学年一クラスだけの小さな中学校で、この悲劇《ひげき》は大変な衝撃《しょうげき》を与《あた》えました。

中学校の校舎《こうしゃ》が被災《ひさい》してしまったので、無事だった別の中学校の校舎《こうしゃ》を間借りし、だいぶ遅《おく》れて姪《めい》たちの入学式がありました。

——先輩《せんぱい》とか知り合いの親御《おやご》さんは亡《な》くなったそうだけど、直接《ちょくせつ》のお友達で亡《な》くなった人はいなかったの？

「スポーツ少年団《しょうねんだん》のソフトテニスで一緒《いっしょ》に練習していた子は亡《な》くなったし、死なないまでも津波《つなみ》に流された経験《けいけん》のある子はいるよ。今でもちょいちょい当時のことは思い出しちゃう」

——泣けない時期が長くあったということだけど……。

「そう。震災《しんさい》からだいぶ経《た》って、ジュン（愛犬）やノラ（愛猫《あいびょう》）が死んだときはものすごく泣いたの。ジュンは避難所《ひなんじょ》になっていた時も皆《みな》に可愛《かわい》がられていたでしょう。ノラは津波《つなみ》から逃《に》げてきて、避難所《ひなんじょ》のあたりにいるからパンなんかをあげるようになって、お盆《ぼん》が過《す》ぎた頃《ころ》うちの飼《か》い猫《ねこ》になった。どっちもみんなの救《すく》いになっていた動物たちでしょ。ノラはガリガリに痩《や》せていたのに妊娠《にんしん》して、お盆過《ぼんす》ぎに仔猫《こねこ》を五匹《ひき》産んだ。死んでいく命があり、生まれる命がある。それを一番感じさせてくれた子だったから」

ジュンはもともと実家で飼《か》っていた柴犬《しばいぬ》でしたが、ノラは誰《だれ》かに飼《か》われていて被災《ひさい》し、寺まで逃《に》げてきたのでしょう。しつけがきちんとできていました。避難所《ひなんじょ》の人には野良猫《のらねこ》という意味の「ノラ」と呼《よ》ばれており、それがそのまま我《わ》が家での名前になりました。気立ての良い猫《ねこ》で、お刺身《さしみ》が大好き。お刺身《さしみ》が出た日には家族のそばに座《すわ》って、もらえるのをおとなしく待っています。前の飼《か》い主さんにとても可愛《かわい》がられていたことがうかがえました。私《わたし》の家族はノラを抱《だ》いて撫《な》でることで、日々《ひび》の辛《つら》さから救《すく》われた時期があったのです。

――東日本大震災《ひがしにほんだいしんさい》の前は、とてものんびりした学校だったでしょう。規模《きぼ》は小さいし、みんな家族ぐるみで知り合いみたいな地域《ちいき》だもののね。

「そうだったんだろうね。でもね、私《わたし》は震災《しんさい》前のことって本当に記憶《きおく》にないんだ。地震《じしん》や津波《つなみ》自体もつらかったけれど、そのあとが本当に大変だったから。背負《せお》いきれない現実《げんじつ》の山がみんなに襲《おそ》いかかったことは、私《わたし》にすらわかってしまった」

――周りの大人たちに何か言われたことはあった？

「『このことはあなたの大事な経験《けいけん》の一つになるかもしれない』っていろんな人に言われた。でも私《わたし》はそうじゃないと思ってた。しなくてもいい経験《けいけん》だよ。これが私《わたし》の運命で、受け入れなければいけないんだろうけど、やっぱり嫌《いや》だった。せめて、十二歳《さい》という年齢《ねんれい》で知らずに済《す》めばよかったのに」

実際《じっさい》に大震災《だいしんさい》を経験《けいけん》した人たちの多くは、あの日の映像《えいぞう》を見たがりません。毎年三月十一日が近づくとテレビは慰霊《いれい》や検証《けんしょう》の番組にあふれます。でもそれは被災地《ひさいち》の人にとってはあまりにも辛《つら》かった日々《ひび》を思い出すことに通じます。私《わたし》自身はあの場にいなかった罪滅《つみほろ》ぼしのような気持ちで見ていますが、それでもザワザワと鳥肌《とりはだ》が立ちます。当日は何が起きているのかわからなかったけれど、今ではどれだけの人が亡《な》くなり、行方《ゆくえ》不明になったか分かっているのですから。

――ずっと津波《つなみ》の映像《えいぞう》は見られなかったのかな？

「見てなかった。大学に入って被災地支援《ひさいちしえん》の団体《だんたい》に加わったんだけど、一番生々《なまなま》しく『生と死』を感じたのは、津波《つなみ》で被災《ひさい》した気仙沼《けせんぬま》の気仙沼向洋《けせんぬまこうよう》高校に行った時のことなの。今まで忘《わす》れていた感覚が蘇《よみがえ》ってきたというのかな。津波《つなみ》の映像《えいぞう》や写真はずっと避《さ》けていたから、自分でも細かいことは忘《わす》れていたしその時も見たくはなかったけれど、他のメンバーが行くというのでついて行った。

映像《えいぞう》だけは見なかった。でも、校舎《こうしゃ》には津波《つなみ》に襲《おそ》われたときの姿《すがた》が本当にそのままの状態《じょうたい》で残っていたから、当時のことを全部思い出しちゃった。屋上には机《つくえ》や椅子《いす》がバラバラに置いてあったの。なぜかというと、津波《つなみ》に襲《おそ》われたときに残っていたのは先生たちだけだったんだけど、津波《つなみ》が来たときに少しでも高いところにいたいと机《つくえ》や椅子《いす》の上に立っていたんだって。それを見たときに、ボロボロ泣いちゃった。当日とか、その後の生活とか、何を考えていたかはあまり覚えていないけれど、とにかく私《わたし》はずっと生きたかったんだということを思い出した。

いろいろな写真も展示《てんじ》されていて、中でも瓦礫《がれき》の写真を見た時はきつかったな。私《わたし》と同い年くらいの女の子が両手に水を入れた重い容器《ようき》を持って歩いていたこととか、近所の人たちがうちに水を汲《く》みにきていたこととか、自分が生きた年月を思い出してしまって、それがとても辛《つら》かった。でも、『ああ、自分のルーツはここにあったんだ』と思った。以前よりもっと、生きるとか死ぬということを考えるようになったと思う」

一絵は大学に入って上京すると、学生の団体《だんたい》に入って「三陸なう」という活動を始めました。自分たちが育った三陸地方は今は被災地《ひさいち》としてばかり語られているけれど、本当は国立公園があり、海の幸《さち》が豊《ゆた》かな、素晴《すば》らしい場所だったのだ。それをもっと広く知ってもらいたい。そんな気持ちを持った学生たちが集まっています。

被災地《ひさいち》出身だけでなく、何かのきっかけで三陸に魅《み》せられた他地域《ちいき》の学生も集まっており、冬には上野公園でイベントを開くなど、多彩《たさい》な活動をしてきました。そのたびに私《わたし》も様子を見にいっていましたが、「愛する故郷《こきょう》を、津波《つなみ》で何もかも失ったかわいそうな土地とだけ見られるのはイヤだ！」という一絵の強い意思を感じ、頼《たの》もしく思っていました。

しかし、やっぱり彼女《かのじょ》は根源《こんげん》的な辛《つら》さを抱《かか》えて生きていたのです。当たり前です。感じやすい年頃《としごろ》に大津波《おおつなみ》を目《ま》の当たりにし、そこから走って逃《に》げ、知り合いにたくさん死なれてしまったのですから。

その後五カ月間自宅《じたく》が避難者《ひなんしゃ》であふれ、環境《かんきょう》が一変したことも、私《わたし》が想像《そうぞう》していた以上に彼女《かのじょ》の心身にダメージを与《あた》えていました。若《わか》かった、というより幼《おさな》かった彼女《かのじょ》は生命力にあふれ、知らないうちに記憶《きおく》に蓋《ふた》をすることもできたのでしょう。

しかし、何かで蓋《ふた》が開いてしまうと、一気に辛《つら》い記憶《きおく》は蘇《よみがえ》ります。気仙沼《けせんぬま》向洋高校へ行った時がそうでした。先生たちが津波《つなみ》からできるだけ逃《のが》れようと登った机《つくえ》。命がぎりぎりのところまで脅《おびや》かされた痕跡《こんせき》を見た時、

「自分のルーツはここにあったんだ」

と思ったという彼女《かのじょ》の言葉には、東京で震《ふる》えながら大津波《おおつなみ》を見ていた私《わたし》には持ち得《え》ない強さがありました。

「今でもその気持ちはうまく言語化できない。状況《じょうきょう》をそのまま話すことはできるのに、感情《かんじょう》を言語化するには全然言葉が足りないの。感情《かんじょう》の量が多すぎて。

震災《しんさい》と向き合っていくということは生き残った人間の責務《せきむ》だと思うし、どうにかして街を戻《もど》していくということも責務《せきむ》だと思っているけれど。それをしなかったら、自分たちも乗り越《こ》えられない。故郷《こきょう》を復興《ふっこう》させるんだって思わなければ、今もみんなが絶望感《ぜつぼうかん》に打ちひしがれてしまっていると思う」

東日本大震災《ひがしにほんだいしんさい》から九年が経《た》ち、被災地《ひさいち》から見れば復興《ふっこう》は途上《とじょう》ながら、少しずつ街並《まちな》みも整ってきました。陸前高田市は町の中心部に十二メートルもの土を盛《も》り、その上に商店街も作られ始めました。

二〇一七年に商業施設《しせつ》「アバッセ」と市立図書館ができた時、どんなにうれしかったでしょう。以前の図書館は流されてしまい、職員《しょくいん》の方々《かたがた》も多くが亡《な》くなってしまいました。その後は車を使った移動《いどう》図書館でなんとか本の貸《か》し出しは行われていたものの、きれいで立派《りっぱ》な図書館ができたことは、本好きの市民にとっては大事な心の拠《よ》り所が戻《もど》ってきたと感じられる出来事でした。

図書館のそばには大きな遊具を備《そな》えた子どもたちの遊び場もできました。オープンして間もなく、私《わたし》も行ってみましたが、子どもたちの歓声《かんせい》が聞こえることがこれほど嬉《うれ》しいものだとは思いませんでした。海のそばには新しい「道の駅」ができ、国営《こくえい》の「東日本大震災津波伝承館《ひがしにほんだいしんさいつなみでんしょうかん》」もオープンしました。

それでも、他の地域《ちいき》の方から「もう陸前高田は復興《ふっこう》した?」と訊《たず》ねられるとうまく答えられない私《わたし》がいます。新しくできた商業地には以前ほど店舗《てんぽ》は戻《もど》っていません。あまりにも大きな喪失《そうしつ》がそこにはあり、復興《ふっこう》ということは可能《かのう》なのかと問わずにはいられないのです。家や家族を亡《な》くした方が無神経《むしんけい》にそう問われたら、怒《おこ》ってしまうかもしれません。

盛《も》り土がされた場所の下にはかつての市街地がありました。郊外《こうがい》にある実家の寺から町までは路線バスで行くことができ、私《わたし》は姉と一緒《いっしょ》にバスに乗って親戚《しんせき》の家を訪《たず》ねたものです。その町は跡形《あとかた》もなく失われ、土の下に消えました。

それでも、郊外《こうがい》の高台にあった我《わ》が家は杉《すぎ》の防風林《ぼうふうりん》に囲《かこ》まれた寺なので、山門から中に入ってしまうと以前と何の変わりもありません。たくさんの被災者《ひさいしゃ》が庫裏《くり》で暮らしていた時も、庭には変わらず季節の花が咲《さ》きました。帰省する時など、途中《とちゅう》で目にする景色に毎回打ちひしがれ、内と外のあまりの違《ちが》いにしばらくは申し訳《わけ》ない気持ちでいっぱいでした。

でも、今ではそれでよかったのかもしれないという気がします。震災《しんさい》前から、都会に出ていたご門徒《もんと》がお墓参《はかまい》りに来られ、

「お寺は変わらないですねえ」

と言われるのを聞き、お寺や神社には変わらないことに価値《かち》があるのかもしれないと思っていましたが、震災《しんさい》後はさらにその価値《かち》が増《ま》したかもしれないと思うのです。いつ来ても変わらないことで、揺《ゆ》らいでいた気持ちが落ち着く場所。

大地震《おおじしん》は墓地《ぼち》の景色も変えました。地盤《じばん》の強い地域《ちいき》でも墓石《ぼせき》が損傷《そんしょう》したり倒《たお》れたりしたものがありましたが、経済《けいざい》的に苦労しているに違《ちが》いないお家でも、立派《りっぱ》にお墓《はか》を作り替《か》えるのです。そこには、二〇一一年三月十一日が命日という方のお骨《こつ》がたくさん納《おさ》められています。お盆《ぼん》やお彼岸《ひがん》には、朝早くからたくさんの方が花やお供《そな》えを携《たずさ》えてやってきます。

都会の人には理解《りかい》しにくいかもしれませんが、東北地方では今でもお寺と檀家《だんか》の結

びつきが強く残っています。支援《しえん》活動でわざわざ京都からやってきたお坊《ぼう》さんとお話ししたことがありますが、

「東北の方は、たとえ高校生でも自分の家のお寺がどこかわかっているんですよね。『うちのお寺は○○寺さんで、お母さんの実家のお寺は○○寺さん』という風に」

と言っていました。私《わたし》の子どもの頃《ころ》に比《くら》べれば随分《ずいぶん》とつながりは薄《うす》れたように思えるのですが、外から見ればまだまだ濃《こ》いものがあるようです。

家には仏壇《ぶつだん》や神棚《かみだな》があり、地区のお祭りに欠かさず参加し、郷土芸能《きょうどげいのう》のメンバーでもある。そういう方が多数派《は》なのです。土地と人とが分かち難《がた》く結びついている。ご法事もよく行われ、そこに親族が集まっては死者の思い出話をします。

だからでしょうか、震災《しんさい》後にあちこちで幽霊《ゆうれい》の目撃譚《もくげきたん》が生まれたのは。亡《な》くなった方がその土地に心を残していなければ、生き残った方もまた土地への愛着を持っていなければ、起きないことのように思えるのです。

このような東北の土地柄《がら》を思えば、福島第一原発で起きた放射能汚染事故《ほうしゃのうおせんじこ》によって多くの人々《ひとびと》が故郷《こきょう》から追われてしまったことが、どれほど残酷《ざんこく》なことだったか、私《わたし》にはよくわかる気がします。

3

福島、
道野さんのこと。

岩手生まれで、仕事のため全国を歩いてきた私《わたし》にも、いくつか特別の土地があります。福島県もそのひとつ。本州では岩手県に次ぐ広い県で、少し横長の土地は縦《たて》に二本線を引くと東から太平洋に面した「浜通《はまどお》り」、東北本線や東北新幹線《とうほくしんかんせん》、東北道が通っている「中通《なかどお》り」、奥羽山脈《おううさんみゃく》に近い「会津《あいづ》」と呼《よ》ばれます。調べてみたところ、江《え》戸《ど》時代に今の福島県にあって幕末《ばくまつ》に至《いた》った藩《はん》は、会津藩《あいづはん》、福島藩《ふくしまはん》、二本松藩《にほんまつはん》、三春藩《みはるはん》、下手渡藩《しもてどはん》、守山藩《もりやまはん》、長沼藩《ながぬまはん》、白河藩《しらかわはん》、棚倉藩《たなぐらはん》、中村藩《はん》、平藩《たいらはん》、湯長谷藩《ゆながやはん》、泉藩《いずみはん》があったそうです。このうち私《わたし》が知っていた藩《はん》は半分程度《ていど》。多彩《たさい》な文化を継承《けいしょう》してきたところなのでしょう。

海、山、川と自然に恵《めぐ》まれていますが、共通しているのはどこも食べ物がおいしいこと。海産物が豊富《ほうふ》で、物生《な》りがよく、お米はもちろん果物がとてもよく取れます。お米を材料とするお酒もたくさんの酒蔵《さかぐら》があり、毎年コンクールで上位を占《し》めるような銘酒《めいしゅ》が作られています。酪農《らくのう》も盛《さか》んです。福島へ行くたびに土地の恵《めぐ》みに感謝《かんしゃ》したくなるようなおいしいものをたくさん食べてきました。

山形新幹線《やまがたしんかんせん》で山形を訪《おとず》れる際《さい》、福島駅から米沢《よねざわ》駅へ向かう途中《とちゅう》に現《あらわ》れる吾妻連峰《あづまれんぽう》の景色が私《わたし》は大好きでした。春夏秋冬、深い山々《やまやま》と渓谷《けいこく》が美しく、とりわけ春の新緑、秋の紅葉《こうよう》、冬の雪景色は何度見ても見飽《みあ》きないものでした。

今でも藩政《はんせい》時代の気風を受け継《つ》いで暮《く》らす人たちの話も、心にしっくりとおさまるというのでしょうか。広い県のあちこちで出会った人たちの思い出は、私《わたし》を豊《ゆた》かな気持ちにしてくれています。

しかし、東日本大震災《ひがしにほんだいしんさい》が起き、その後の福島第一原発の事故《じこ》と水素爆発《すいそばくはつ》によって、「福島」という言祝《ことほ》ぎの名前は別の意味で世界に知れ渡《わた》ってしまいました。私《わたし》は「フクシマ」という記号化されたカタカナ名は好きではありません。私《わたし》が知っているのはあくまでも「福島」です。

ただ、東日本大震災《ひがしにほんだいしんさい》直後の私《わたし》の気持ちはすべて郷里《きょうり》へと向かっていたため、正直なところ原発事故《じこ》への危機感《ききかん》は薄《うす》いものでした。テレビで当時の菅直人《かんなおと》首相や枝野幸男《えだのゆきお》官房長官《かんぼう》の姿《すがた》を見て、言葉を聞いていたはずですが、今でも薄《うす》ぼんやりとした記憶《きおく》しかありません。

たくさんの人が着の身着のままで逃《に》げ出さざるを得《え》ない状況《じょうきょう》になった時は、さすがに「これは大変だ」と思いましたが、西へと逃《に》げ出す東京の人たちで東海道新幹線《とうかいどうしんかんせん》や飛行機が混雑《こんざつ》していると知っても、

「なぜ今、東北を心配してくれないのだろう?」

と思うだけでした。あまりにも大きな危機《きき》が郷里《きょうり》を襲《おそ》っていたため、私《わたし》はどこかで客観性《きゃっかんせい》をなくしていたのです。今ほどSNSが浸透《しんとう》していなかったことも災《わざわ》いしていたかもしれません。

岩手や宮城の被害《ひがい》は本当に深刻《しんこく》です。しかしその後、福島を襲《おそ》った災厄《さいやく》の大きさを知るにつれて、深刻《しんこく》さの種類がまったく違《ちが》うのだと思わざるを得《え》ませんでした。

辛《つら》いことばかりだった東日本大震災《ひがしにほんだいしんさい》の体験で、唯一《ゆいいつ》良かったことは、SNSで活発に書き込《こ》みやり取りをしていく中でさまざまな人たちと知り合えたことでした。被《ひ》災地《さいち》に家族のいる人たちとは、地震《じしん》の直後から情報《じょうほう》を交換《こうかん》し、家族の消息がわからな

い間の強い支《ささ》えとなりました。

いち早く取材に入ったジャーナリストや写真家の方々《かたがた》の報告《ほうこく》には胸《むね》のふさがる思いをしたことも多かったのですが、その後も長いおつきあいができました。

家や家族を失った人たちのためにボランティアで駆《か》けつけた方の声、遺族《いぞく》の苦しみに寄《よ》り添《そ》おうとする宗教家《しゅうきょうか》の方たちの声。

その中には福島第一原発近くに暮《く》らしていて、本当にわずかな荷物だけを持って避《ひ》難《なん》しなくてはいけなかった人たちの声がありました。ペットはもちろん、飼育《しいく》していた家畜《かちく》は連れていけない。ただひたすら原発から逃《に》げなくてはいけない。寝《ね》たきりのお年寄《としよ》りも同様です。準備《じゅんび》する時間も与《あた》えられないまま逃《に》げ出したために、命を落とした方もたくさんいました。

状況《じょうきょう》が少し落ち着くと、私《わたし》も福島県で起きたことに関心を向けるようになっていきました。特に福島市で暮《く》らす道野《みちの》久人《ひさと》（仮名）さんとの出会いは、現実《げんじつ》の「今、そこにある福島」を学ぶきっかけになったと思います。

道野さんとやり取りするようになったのがいつのことだったのか、正確《せいかく》には覚えていません。彼《かれ》の書き込《こ》みを読むうちに、福島市内に住む医療《いりょう》関係者でお兄さん夫婦《ふうふ》を津波《つなみ》で失っていること、その遺児《いじ》三人を、奥《おく》さんと奥《おく》さんのお母さんとで育てていることを少しずつ理解《りかい》するようになりました。まだ子どもたちは幼《おさな》く、可愛《かわい》い盛《さか》り。亡《な》くなったお兄さん夫妻《ふさい》はさぞかし心残りだったでしょう。

ほかにも家族を失った遺児《いじ》を育てている親族はたくさんいたはずです。道野さんとやり取りするようになったのは、おそらく彼《かれ》がとても読書家で、私《わたし》も同じく本が好きで、私《わたし》がものを書く仕事をしていることなどで、お互《たが》いに親近感があったからだと思います。

もちろん、東日本大震災《ひがしにほんだいしんさい》で受けた実際《じっさい》の被害《ひがい》は比《くら》べ物にならないほど彼《かれ》のほうが大きいものでした。東日本大震災《ひがしにほんだいしんさい》の直後は私《わたし》も岩手県にいる家族の消息がわかりませんでしたが、東京で手をこまねいているだけで彼《かれ》のような行動は起こせませんでした。

道野さんは三月十一日には普段《ふだん》通り病院で仕事中でしたが、福島の沿岸《えんがん》部に大津波《おおつなみ》警報《けいほう》が出たとわかった瞬間《しゅんかん》、お兄さん一家のことを考えたと言います。夜、仕事が一段落するまで勤務《きんむ》した後、すぐに自家用車で沿岸《えんがん》部をめざしました。

東日本大震災《ひがしにほんだいしんさい》後、私《わたし》も何度か特急バスを使い、福島市から沿岸部の南相馬《みなみそうま》市（原《はら》

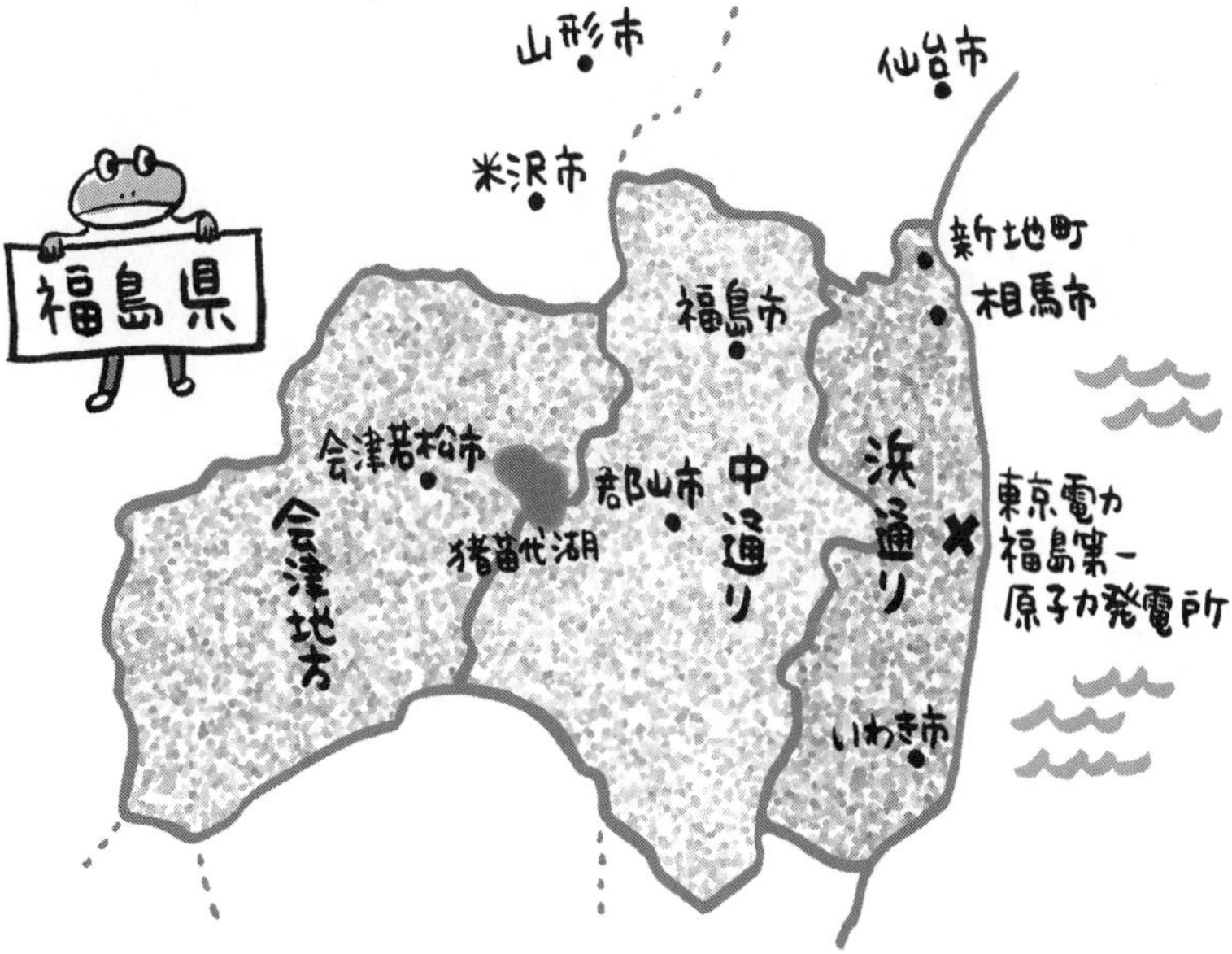
福島県
山形市
仙台市
米沢市
新地町
相馬市
福島市
会津若松市
郡山市
中通り
浜通り
東京電力
福島第一
原子力発電所
猪苗代湖
会津地方
いわき市

町《まち》）へ行ったことがありますが、飯舘村《いいたてむら》を経由《けいゆ》して二時間ほどかかる道のりです。この日は大きな地震《じしん》があり、道路被災状況《ひさいじょうきょう》が全くわからない状況《じょうきょう》でしたからもっと時間がかかるものと思われました。

お兄さん一家が津波《つなみ》から逃《に》げられたならどこかの高台にいるだろうということは、道野さんにも想像《そうぞう》がつきました。お兄さんの子どもは四歳《さい》の長女、二歳《さい》の長男、二歳《さい》の次女の三人。お兄さんやお義姉《ねえ》さんが無事だったとしても、子どもたちはまだ小さく、特に先天性《せんてんせい》の心臓病《しんぞうびょう》を患《わずら》っていた長男と、超未熟児《ちょうみじゅくじ》で生まれたため長男と同い年になった次女を抱《かか》え、さぞかし大変だろうと気持ちは焦《あせ》るばかりだったそうです。

お兄さんの自宅《じたく》があった相馬市あたりは海に面しており、なだらかな土地が広がっています。二〇二〇年一月、私《わたし》も道野さんの車で行ってみましたが、その日は穏《おだ》やかに晴れていて太平洋も波静か。あの日、海が盛《も》り上がって人々《ひとびと》を襲《おそ》ったとは想像《そうぞう》もできない景色が広がっていました。災害《さいがい》がなければ子どもたちを遊ばせる場所にも事欠かず、とても暮《く》らしやすい土地だったと思います。

――あの日は福島県の沿岸部《えんがんぶ》も大津波《おおつなみ》に襲《おそ》われ、波が引いた後も瓦礫《がれき》で凄《すさ》まじいことになっていたでしょう。道野さんはどうやってその日のうちに子どもたちを見つけたの？

道野　沿岸部《えんがんぶ》についてから、少し高台にある公民館とか民家で避難所《ひなんじょ》みたいになっているところをひとつひとつ訪《たず》ねていったんです。たまたま兄は人事異動《いどう》があって、宮城県の名取《なとり》市に引っ越《こ》すことになっていたので、相馬の家にいるのか、それとも名取の方にいるのか僕《ぼく》にはわからなかった。だからとりあえず相馬からずっと北のほうへ向かおうと思っていた。

――瓦礫《がれき》が大変なことになっていたでしょう。

道野　それはもう。ご遺体《いたい》もたくさんあったし、瀕死《ひんし》の状態《じょうたい》の方もたくさん見たし。ご遺体《いたい》はできるだけ避難所《ひなんじょ》のほうへ運び、瀕死《ひんし》の方もなんとか助けたいと思ったけど、虫の息だった小さな子は僕《ぼく》の腕《うで》の中で亡《な》くなってしまったんだ。
　途中《とちゅう》で見つけた女の子の遺体《いたい》は、たぶん五、六歳《さい》だと思うんだけど、髪《かみ》の毛が濡《ぬ》れて毛先が凍《こお》っていた。それを持っていたタオルで拭《ふ》いてあげたのは覚えてます。バリバリのままだとかわいそうでしょ。

——そう……。私《わたし》も震災《しんさい》の数日後にネットで海外通信社が配信した写真を見ていたら、若《わか》いお母さんが死んでしまった五歳《さい》くらいの娘《むすめ》を抱《だ》いている写真を見つけたの。お母さんも女の子も泥《どろ》まみれで、お母さんは泣いていた。その時、見たら申し訳《わけ》ないものを見たような気がしてパッと画面を閉《と》じてしまったのを覚えてる。日本のメディアはそういう写真は載《の》せないけど、外国は載《の》せるので。

でも後から、ちゃんと見なければいけなかったんじゃないかと思うようになったの。だってそれが道野さんも見た通りの、被災地《ひさいち》の現実《げんじつ》だったんだから。私《わたし》にはその勇気がなかった。

道野　そうだよね。

沿岸部《えんがんぶ》はもう真っ暗だったけどスマホは電池を大事にしないといけないから、ライターをつけて灯《あか》りがわりにして進んだ。運んだ遺体《いたい》にお別れするときにはライターで顔を照らしてあげた。顔を確認《かくにん》するというよりも「僕《ぼく》はここにいるよ」という気持ち。普段《ふだん》だって顔も見ないで話すって変でしょう？　それなら最後にちゃんと顔を見てあげなくちゃいけないと思って。

――道野さんの腕《うで》には切り傷《きず》の跡《あと》がいくつもあるのね。二の腕《うで》の傷《きず》は結構《けっこう》大きい。

道野　瓦礫《がれき》をかき分ける時にガラスで切ってしまって、血まみれになったの。跡《あと》が太いケロイドみたいになっているところは深く切ったから。

――それにしても、あれだけ長い福島県の海岸線を北に移動《いどう》しながら避難所《ひなんじょ》を探《さが》して行って、よくその夜のうちに子どもたちを見つけられたと思う。

道野　あとで友人から「砂浜《すなはま》でダイヤモンドを見つけたね」と言われたもの。日付は変わっていたんだと思うけど、よく覚えていない。見つけたのは北の新地町《しんちまち》です。宮城県との県境《けんざかい》の町で、そこに人が集まっていた建物があって義姉《あね》の遺体《いたい》が安置されていたんです。そばに子どもたちがいた。思わず彼《かれ》らを抱《だ》きしめたんだけど、身体がガッチガチでね。子どもの身体って普《ふ》通《つう》は柔《やわ》らかくてふにゃふにゃしてるでしょう？それが硬《かた》くて硬《かた》くて。

――津《つ》波《なみ》が起きてからのお兄さんやお義《ね》姉《え》さんのこと、子どもたちは覚えてるの？

道野　義《あ》姉《ね》は長女の手を握《にぎ》り、「ママと一《いっ》緒《しょ》にかけっこしようか」とほほえみかけました。子どもが怖《こわ》がらないようにと思ったんじゃないかな。でも足が悪かったから、津《つ》波《なみ》に追いつかれた。兄は子どもたち全員を助けたあと、義《あ》姉《ね》を助けようとして逃《に》げていく三人に「生きろ！」と叫んだそうです。自分はもう助からないと思ったのでしょう。

――すさまじいストレスがかかったのね。子どもたちは津《つ》波《なみ》に流されたりしなかったのかな。

道野　濡《ぬ》れてはいなかったから大丈夫《だいじょうぶ》だったんだと思う。ただ雪は降《ふ》っていたから、たぶん周りの人たちが拭《ふ》いたり乾《かわ》かしたりと世話してくれていたんじゃないかな。あちらこちら頭を下げてお礼を言ったはずだけど、すっぽり記憶《きおく》が抜《ぬ》けてるの。

原発のことも気になっていたから、すぐに少しでも離《はな》れた福島に戻《もど》らないといけないと思っていた。義姉《あね》は申し訳《わけ》ないことに置いて行かざるを得《え》なかったけど。長女をおんぶして、二歳《さい》の長男と次女は右手に抱《だ》いて車にのせた。今にして思うと小さな子どもとはいえ、よくそうやって運べたなあと思う。

――怪我《けが》もしていたのにね。ガソリンは充分《じゅうぶん》あったの？

道野　幸いね。

――子どもたちは逃《に》げられたけれど、お義姉《ねえ》さんは助からなかった。

道野　義姉《あね》は足を手術《しゅじゅつ》してボルトも入れていた。だから早く走れなかった。逃《に》げる時に、ポケットに大好きだった村山由佳《むらやまゆか》さんの『翼《つばさ》』を入れていて、それがボロボロになってました。後から気づいたんだけどね。

義姉《あね》の死に顔は思いのほか穏《おだ》やかでした。おそらく、子どもたちが先に高台に駆《か》け上がっていくのを見て、「あの子たちは助かる」と確信《かくしん》できたからじゃないかな。

――お兄さんも亡《な》くなってしまったけれど、行方《ゆくえ》不明の期間が長かったそうですね。

道野　南相馬市で兄貴《あにき》が見つかったのは半年後。どこにいて、どんな潮《しお》の流れで南相馬に流れ着いたのかはわからないままです。半分白骨《はっこつ》化していて、たまたま義姉《あね》がバレンタインデーにプレゼントした赤い色の服の切れっ端《ぱし》があったから兄だとわかったの。あとは歯型《はがた》とＤＮＡの確認《かくにん》です。

――実家のご門徒《もんと》さんにも、何十キロも離《はな》れたところで見つかった方がいますよ。どうしてそんなに流されたのかと思うけれど、潮《しお》の加減《かげん》でね。小さな子どもが遠いところまで流されていたなんて聞くとかわいそうで。

道野　実は三月十日が次女の誕生日《たんじょうび》だったから、福島の自宅《じたく》に来てもらって誕生日《たんじょうび》を祝ったばかり。楽しくみんなで過《す》ごして、帰る時には「じゃあまたね」と手を振《ふ》って、寒かったから最後まで見送らずに家に入っちゃった。そのことをすごく後悔《こうかい》してる。あんな風に別れたのが兄夫婦《あにふうふ》に会えた最後だったから。

道野さんの言葉はとても重いものです。彼《かれ》はお父さんと早くに別れ、お母さんとお兄さんの三人でお互《たが》いを守りあうように生きてきました。お母さんは震災《しんさい》の数年前に亡《な》くなりました。

残ったのは互《たが》いに一人だけの兄弟。大人になっても家族の誕生日《たんじょうび》を共に祝うほどですから、仲の良い兄弟だったに違《ちが》いありません。そういうお兄さんと、また会えると思ってあっさりと別れてしまったことは悔《く》やんでも悔《く》やみきれないのです。

東日本大震災《ひがしにほんだいしんさい》の後、あちこちで同じような話を聞きました。「おはよう」と別れてそのままになった。地震《じしん》があった後一瞬《いっしゅん》だけ家族に電話が通じて、「気をつけてね」

と言って切ったら津波《つなみ》で流されてしまった……。それが「永《なが》の別れ」になるとも思わないまま、二度と会えなくなった人がどれほどいたことか。

朝たまたま喧嘩《けんか》をしていて、口をきかないまま出かけていった人に死なれてしまった。なぜ、せめて「行ってらっしゃい」を言えなかったんだろうと涙《なみだ》を流す人もいました。そういう話をたくさん聞いてしまったから、朝どんなに喧嘩《けんか》をしていても出かける時には「行ってきます」「行ってらっしゃい」の挨拶《あいさつ》は忘《わす》れないようにしているご夫婦《ふうふ》もいるそうです。

今日という日はたった一日だけ。理屈《りくつ》ではわかっていても、なかなか行動で示《しめ》すことは難《むずか》しい。自分の身近に災害《さいがい》が迫《せま》って初めて、心から理解《りかい》できることなのかもしれません。

——子どもたちが見つかってすぐに福島を目指したの？

道野　そう。でも、どこもかしこも道がはっきりしない。どこを通れば安全なのかがわからない。とにかく何があるかわからない原発からは離《はな》れて帰りたかったけど、結局は新地町から、ふだん福島からのバスが走っている「原町《はらまち》（南相馬市）↓福島」ルートの道まで南に戻《もど》らないといけなかった。時間の感覚がはっきりしないけれど、原町から飯舘村《いいたてむら》を通って、道が悪いから何時間もかかった。福島に帰り着いた時はもう朝だったの。

――子どもたちはおじさんであるあなたを「お父ちゃん」って呼《よ》んでるでしょう。お兄さんたちのことはなんと呼《よ》んでいたんだろう？

道野　パパ・ママって呼《よ》んでいた。以前は無理やり俺《おれ》のことを「久人《ひさと》にいちゃん」って呼《よ》ばせてた（笑）。それがね、福島に着いた頃《ころ》、ぽろっと「お父ちゃん」って言ったの。なぜそう言ったのか、何かの会話でそうなったのか。なぜなんだろうね？

――意識《いしき》していないだろうけど、それは本質《ほんしつ》的なことでしょうね。お母さんは目の前で亡《な》くなり、お父さんも行方《ゆくえ》がわからない。あれだけの大津波《おおつなみ》を見てしまったのだから、子どもでも「もう二度と実の父親には会えないかもしれない」と思った可能性《かのうせい》はある。頼《たよ》れるのはあなただけだと。

道野　電気・水道・ガスなどのライフラインが全部止まり、余震《よしん》もひどかったので福島市内の避難所《ひなんじょ》にひとまず身を寄《よ》せて二泊《はく》したんだけど、まだ寒い時期だったでしょ。家族が風邪《かぜ》を引いて病院に連れていきたいけれど、運ぶ手段《しゅだん》がないという人が何人もいた。それで僕《ぼく》が何人か運んだんだけど、たぶん市役所の人だと思われていたんじゃないかな。数人運んで、また頼《たの》まれた時、「申し訳《わけ》ないけどガソリンがなくなるので無理なんです」とお断《ことわ》りせざるを得《え》なかった。福島第一原発が水素爆発《すいそばくはつ》して、原発作業員の人たちも家族を連れて大勢避難《おおぜいひなん》してきたんです。震災《しんさい》の時に構内《こうない》にいた人もいて、彼らがいたから今後原発事故《じこ》がどういう危険《きけん》をもたらすのか、分かったように思います。十三日の夜、山形県米沢《よねざわ》市が避難所《ひなんじょ》を開設したという情報が入ってきて、僕《ぼく》は一家で米沢まで避難《ひなん》しようと決めました。ガソリンが米沢へ行けるくらいしか残っていなかったから、他の選択肢《せんたくし》はなかったんだけれど。

もう一つ、少しでも早く避難《ひなん》したい理由がありました。頻発《ひんぱつ》する余震《よしん》に怯《おび》えて号泣する娘《むすめ》たちを守るためです。少しでも揺《ゆ》れが少なく、健康被害《ひがい》を防《ふせ》げそうなところへ行きたかった。だから、避難《ひなん》の決断《けつだん》は早かったです。予想通り、米沢に着いてエンジンを切った時ちょうどガソリンが尽《つ》きてしまった。

――あの時はガソリンが全然買えなかった。東京でもガソリンスタンドに長い列ができていて、その分をなぜ被災地《ひさいち》に回してくれないのかと悲しかったな……。

その後、道野さん一家は仕事場のある福島と奥《おく》さんの実家がある山形県北部の町に分かれて暮《く》らすようになりました。道野さんは安定した職場《しょくば》のある福島市で働き続けることを選んだのです。

お兄さんの遺児《いじ》を、道野さんの奥《おく》さんのご家族は快《こころよ》く受け入れてくださったそうです。道野さんの奥《おく》さんは突然《とつぜん》三人の子の「お母ちゃん」になりました。奥《おく》さんのお母さんは「おばあちゃん」です。子どもたちは学校や保育園《ほいくえん》に通うようになり、その町に馴染《なじ》んでいきました。

小さかったとはいえ、両親が揃《そろ》った温かな家庭を突然《とつぜん》失い、知らない土地で暮《く》らし始めることは子どもたちにも強いストレスだったに違《ちが》いありません。何より彼《かれ》らを苦しめたのは、三分間も続いた強い揺《ゆ》れと大津波《おおつなみ》の記憶《きおく》でした。

——確《たし》か、暗いところや振動《しんどう》がダメになっちゃったんですよね。

道野　お風呂《ふろ》で髪《かみ》を濡《ぬ》らすのもね。号泣しながらお風呂《ふろ》に入っていたこともあった。もちろんカウンセラーに診《み》てもらって、どういうことをしても大丈夫《だいじょうぶ》なのか相談しながら少しずつやってきたんです。娘《むすめ》たちは映画が好きなんだけど、映画館《えいがかん》は暗いからずっと行けないでいました。でも、そろそろ大丈夫《だいじょうぶ》かと思ってジブリ映画《えいが》の『風立ちぬ』を観《み》に行ったら、関東大震災《だいしんさい》のシーンがあって大きな音と振動《しんどう》があった。次女は泣きこそしなかったけどかたまっちゃったんです。だから「もう出よう」ってすぐに出てきた。

——ご両親とのことはどういう風に折り合いをつけているんでしょう。

道野　僕《ぼく》は兄貴《あにき》が見つかって葬儀《そうぎ》をする時、子どもたちに会わせたのね。もうほとんど白骨化《はっこつ》していたんだけど、エンバーミングという技法《ぎほう》があるでしょう。粘土《ねんど》みたいなものを骨《ほね》の上に貼《は》りつけながら顔のところを修復《しゅうふく》して、生きていた時の面影《おもかげ》を蘇《よみがえ》らせる。

棺《ひつぎ》の中で身体は見えないように覆《おお》ってあるんだけど、顔のところをその技法《ぎほう》で肉付けし、子どもたちがお別れに触《さわ》れるようにしてもらったの。そうしないと「死」が何かわからないでしょ。将来《しょうらい》「あの時、なんでパパに会わせてくれなかったんだ」と言われたら、僕《ぼく》は返す言葉がない。だってずっと死や別れ、命や生きることについて教えてきたのに、最後に大人の配慮《はいりょ》で会わせないというのは、一緒《いっしょ》に考えてきたことと矛盾《むじゅん》するのではないか。記憶《きおく》や思い出の乏《とぼ》しい彼女《かのじょ》たちにとって「会う」ということはとても大切なのではないかと思う。兄貴《あにき》の棺《ひつぎ》には子どもたちの手で花をたくさん入れました。

——子どもなりに納得《なっとく》しないといけないからね。

道野　そう。でもそのことをツイッターに書いたら「虐待《ぎゃくたい》だ」と返信してくる人がいてね。こちらはカウンセラーと相談しながら慎重《しんちょう》に慎重《しんちょう》を期してやっていることなんだけど。じゃあその人は、家族が死んでも火葬《かそう》の時に骨揚《こつあ》げをさせないのかな？

僕《ぼく》は「死」は「生きる」ことと同じだと思ってる。親が死んだ時にそれをしっかり教えないと、自分たちが生きているということがどういうことかわからなくなってしまうでしょ。

子どもたちには他人に対して平気で「死ね」なんていう人間になってほしくない。事態《じたい》を受け入れるためには、まず「死」について教えないといけないんだ。

道野さんが「まず『死』について教えないといけない」と言ったことには少し説明が必要かもしれません。

以前の日本の社会は大家族で暮《く》らしていることが多く、家の中にお年寄《としよ》りがいることがほとんどでした。また、感染症《かんせんしょう》などで小さな子《こ》どもが命を落とすこともよくありました。彼《かれ》らは家の中で看病《かんびょう》され、あるいは介護《かいご》され、医師《いし》の往診《おうしん》を受けながら衰《おとろ》え、死んでいきました。人々《ひとびと》が病院で死んでいくのが当たり前になったのはそれほど古いことではないのです。亡《な》くなったあとのお通夜《つや》やお葬式《そうしき》も家で執《と》り行われました。

小さな子どもの日常《にちじょう》の中にも、家族が病《や》み、衰《おとろ》えていく姿《すがた》を自然に目にする機会はいくらでもありました。しかし今は違《ちが》います。病人は病院で看護《かんご》され、そこで看取《みと》られることが多いのです。

小さな子どもが怖《こわ》がるから。勉強が忙《いそが》しいから。そう言って、病人のお見舞《みま》いに行かせないお宅《たく》もあると聞きます。「死」は遠ざかる一方です。

私《わたし》の父は自分が癌《がん》を患《わずら》った時、大学病院のお医者さんが勧《すす》める手術《しゅじゅつ》を断《ことわ》って家に帰ってきました。治療《ちりょう》が難《むずか》しく治りにくいと言われる膵臓癌《すいぞうがん》だったので、手術《しゅじゅつ》は大規模《だいきぼ》なものになり、術後《じゅつご》も長い間入院していなければなりません。

「そんな風に過《す》ごすよりも、自然の豊《ゆた》かな寺に帰って残りの人生を送りたい」

と言って、帰宅《きたく》する方を選びました。家族もそれを受け入れました。

我《わ》が家はお寺だからちょっと考え方が変わっているのかもしれません。そもそもご門徒《もんと》のご葬儀《そうぎ》などがあり、前にも言った通り、普通《ふつう》のお宅《たく》よりははるかに「死」は身近です。

「孫たちに衰《おとろ》えていく姿《すがた》を見せることも大事」

とも言っていました。私《わたし》は「パパ、格好《かっこう》つけてるんじゃない（笑）？」と茶化《ちゃか》したことを覚えていますが、それは父の本音だったとも思っています。

結局父は本当に動けなくなるまで家で過《す》ごし、ご葬儀《そうぎ》などもなんとかこなしていました。とうとう病院に入ることになった時、とても嘆《なげ》いたそうです。もう生きて家に戻《もど》れないことがわかっていたからでしょう。今はまた、自宅《じたく》で最後まで過《す》ごす方が少しずつ増《ふ》えているようですが、当時はその体制《たいせい》がなく、病院に入れざるを得《え》ませんでした。

亡《な》くなる数日前、姉の高校生の息子と小学生の娘《むすめ》がおじいちゃんのお見舞《みま》いに来ました。もうほとんど意識《いしき》がなく、酸素《さんそ》マスクもつけたままだったので、お見舞《みま》いというよりは「お別れ」でした。

時々《ときどき》病室に看護師《かんごし》さんが来て、痰《たん》をとってくれました。ヘビースモーカーだった父の痰《たん》は血膿《ちうみ》となって真っ赤になっています。それを見て看護師《かんごし》さんは「いいのですか？」と私《わたし》に聞きました。子どもたちに見せてもよいかという意味です。私《わたし》はすぐに「いいです」と答えました。子どもたちはじっとその作業を見守っていました。

可愛《かわい》がってくれたおじいちゃんがもうじき死んでいく。その姿《すがた》を見せることも大事ですし、それが父の望みだと思ったからです。姉には後で報告《ほうこく》しましたが、うなずいてくれました。事前に話し合ったわけではありませんが、姉もそれが当然と思っていたでしょう。弟を含《ふく》め、寺で育った三人のきょうだいの間には共通する感覚《かんかく》があるのです。

ですから、道野さんがほとんど骨《ほね》となったお兄さんの顔を修復《しゅうふく》し、子どもたちに会わせた思いはよくわかります。道野さんは医療《いりょう》の現場《げんば》で働き、重い病気の患者《かんじゃ》さんとは日常的《にちじょうてき》に接《せっ》しています。看取《みと》りの場を支《ささ》えることも少なくないでしょう。

病《やまい》や死は辛《つら》いことではあるけれど、ヒトという生き物にとっては老いと同じく、自然なことでもあります。引き取った子どもたちには、いたずらに「死」を遠ざけるのではなく、大事な人の「死」にきちんと向かい合ってほしいと願ったに違《ちが》いありません。亡《な》くなってしまったこの人は、自分たちを育て、慈《いつく》しみ、最後まで命が助かることを願っていたのです。

幼《おさな》い子どもは大人が思っているよりはるかに理解力《りかいりょく》がある。私《わたし》はそう思っています。大人の心構《こころがま》えはきちんと伝わります。道野さんはお兄さんのご遺体《いたい》を手厚《てあつ》く扱い、愛《あい》情《じょう》を込《こ》めて触《ふ》れました。だからきっと、子どもたちも怯《おび》えることなく、お父さんとお別れができたのだと思います。

道野さんは福島から山形へ避難《ひなん》する際《さい》、本棚《ほんだな》から一冊《さつ》の本を持っていきました。時間との勝負でしたので、ゆっくり選んでいる暇《ひま》はなかったでしょう。

その本とは、ますむらひろしさんのコミック『銀河鉄道《ぎんがてつどう》の夜』（原作：宮澤賢治《みやざわけんじ》）です。大の宮澤賢治《みやざわけんじ》ファンである道野さんは、原作に忠実《ちゅうじつ》に、しかし独特《どくとく》の世界観を持った絵で構成《こうせい》されたますむらさんの『銀河鉄道《ぎんがてつどう》の夜』をとても大切にしていて、小さな子どもたちのために携《たずさ》えていったのでした。

津波《つなみ》の恐怖《きょうふ》を思い出し、両親の不在《ふざい》を悲しんで泣く三人に毎晩《まいばん》のように読み聞かせをしたそうです。お読みになった方はおわかりかと思いますが、『銀河鉄道《ぎんがてつどう》の夜』はただ美しいだけのお話ではありません。そこには「死と喪失《そうしつ》」があり、胸《むね》の痛《いた》むような悲しさに満ちています。

それでも、三人の子どもたちは読み聞かせをしてあげるうちに泣きやみ、眠《ねむ》りにつくのでした。

東日本大震災《ひがしにほんだいしんさい》後に始まった道野さんとの縁《えん》は長くなりました。もっとも福島への取材以前に会ったのは二回だけ。ふだんはツイッター上で消息を追いかけるだけでした。時々《ときどき》彼《かれ》はふっと消えることがありました。ネットの世界には、匿名《とくめい》で残酷《ざんこく》な言葉を投げかける人がいます。原発事故《じこ》後に福島で暮《く》らしているというだけで、思いやりのないことを言われ、それにくたびれると彼《かれ》は消えてしまうのです。

二〇一八年、再《ふたた》び道野さんが消えている時期がありました。しばらくすると、メールで連絡《れんらく》がありました。

「チビが死にました」

と書かれていました。先天性《せんてんせい》の心臓病《しんぞうびょう》を抱《かか》えていた長男が亡《な》くなってしまったのです。新地町の避難《ひなん》場所から抱《だ》いて逃《に》げたのちも長い闘病《とうびょう》が続いていましたが、とうとう助かりませんでした。

震災《しんさい》の晩《ばん》、新地町にいた彼《かれ》らを助け出した時、

「いてくれて、ありがとう」

と二歳《さい》の長男が言ったそうです。幼《おさな》い子どもが発した精《せい》いっぱいの感謝《かんしゃ》の言葉でし

た。

彼《かれ》もますむらさんの『銀河鉄道《ぎんがてつどう》の夜』が大好きで、繰《く》り返し読んでいました。棺《ひつぎ》にはこの本と、絵の好きな彼《かれ》にいろいろな方がくださった画材を入れました。

私《わたし》は深いため息をつくしかありませんでした。もう充分《じゅうぶん》すぎるくらい悲しい思いをしてきた一家に、なぜこんなことが起きるのだろう。生きるってつらいなあ、苦しいなあ。こう思わずにはいられませんでした。

道野さんも、思いがけず母親となった彼《かれ》の奥《おく》さんも、亡《な》くなった長男も、お姉ちゃんたちもかわいそうでならず、かといって私《わたし》に何ができるかというと、何もできないのです。

津波《つなみ》と違《ちが》って長い闘病《とうびょう》生活でしたから、少しずつお別れはしていったのかもしれませんが、覚悟《かくご》していたからといって悲しみが薄《うす》れるものではないでしょう。

道野さんはお兄さん夫妻《ふさい》の遺児《いじ》を預《あず》かった時、大きな責任《せきにん》を背負《せお》いました。重い病気を持つ長男をなんとか育て上げたいと強く願っていたはずです。それだけに、

「息子が死んだ夜、仏壇《ぶつだん》の前で土下座《どげざ》した」

という彼《かれ》にかける言葉はありませんでした。

道野さん一家は旅が好きで、忙《いそが》しい毎日の中でなんとか時間を作って旅に出ていました。その中でも私《わたし》の心に残っているのは、京都にある蓮華王院三十三間堂《れんげおういんさんじゅうさんげんどう》での出来事です。

通称《つうしょう》・三十三間堂《さんじゅうさんげんどう》として知られるこのお寺は一一六五年に後白河法皇《ごしらかわほうおう》によって創《そう》建《けん》されました。八十年後に焼失し、現在《げんざい》残っているお堂《どう》は後嵯峨上皇《ごさがじょうこう》によって建てられたもので、堂内《どうない》にある千手観音《せんじゅかんのん》の千体仏《せんたいぶつ》が有名です。

中央には国宝《こくほう》の千手観音坐像《ざぞう》がおわし、左右・縦列《じゅうれつ》に並《なら》ぶ千体もの千手観音立像《りつぞう》は圧巻《あっかん》の一言です。七十人もの仏師《ぶっし》が彫《ほ》り上げたとされる観音像《ぞう》は少しずつお顔が違《ちが》い、

「この中には、会いたい人そっくりの観音様が必ずいらっしゃる」

と言われています。

そんないわれのあるお堂《どう》に、二〇一二年暮《く》れ、道野さん一家は出かけたのでした。

かすかに両親の記憶《きおく》を持つ長女は、何時間もかけて父母に似《に》た観音様を探《さが》しました。二歳《さい》だった弟妹にはもう両親の記憶《きおく》はありません。やっとよく似《に》た観音像《ぞう》を探《さが》し当てた時、彼女《かのじょ》は涙《なみだ》ぐんだそうです。そして、

「やっと会えたね」

と微笑《ほほえ》みました。

両親と暮《く》らした家は流され、思い出の品々《しなじな》もなく、今は別の土地に暮《く》らしている。写真もわずかしかありません。今では山形で新しい思い出を作っているとはいえ、記《き》憶《おく》が薄《うす》れていく悲しさを抱《かか》えていることは想像《そうぞう》に難《かた》くないことです。

それを三十三間堂《さんじゅうさんげんどう》の観音様が少しでも救《すく》ってくれたのならよかったと、私《わたし》は心から思いました。後嵯峨上皇《ごさがじょうこう》が再建《さいけん》してからおよそ八百年、写真などない時代から三《さん》十三間堂《じゅうさんげんどう》にはたくさんの人が救《すく》われてきたのかもしれません。

道野さんはこうも言いました。

「他にも娘《むすめ》たちの大好きな場所があるんだ」

それは京都の宇治《うじ》市にある平等院鳳凰堂《びょうどういんほうおうどう》です。平安美術《びじゅつ》の粋《すい》を集めたこのお堂《どう》は、藤原《ふじはら》氏の頭領《とうりょう》であった藤原頼通《ふじわらのよりみち》が開いたものです。国宝《こくほう》の鳳凰堂《ほうおうどう》には定朝《じょうちょう》作の阿弥《あみ》陀如来像《だにょらいぞう》がおわし、その周りの壁《かべ》には五十二体の雲中供養菩薩像《うんちゅうくようぼさつぞう》が飛んでいます。

「死ぬ時に、こんなふうに仏様《ほとけさま》たちが迎《むか》えにきてくれるならいいねって言うの」

それぞれ楽器を奏《かな》でながら飛ぶ菩薩《ぼさつ》たち。災害《さいがい》や疫病《えきびょう》の多かった平安時代に、人々《ひとびと》が願うのは死んだらお浄土《じょうど》へ渡《わた》ることでした。現代《げんだい》ではそういう信仰《しんこう》を持つ人は減《へ》っていますが、穏《おだ》やかな死を迎《むか》えたいという願いは不変です。

道野さんはずっと、子どもたちに「死」をどのように教えたらよいのか悩《なや》んだと言います。両親を失った時、まだあまりにも小さかった彼女《かのじょ》たちも、今は思春期の入り口に立っています。

生きている人間が「死」を語るのは、いつの時代にもむずかしいことだと思います。仏教《ぶっきょう》に限《かぎ》らず、宗教《しゅうきょう》はその手助けをしてきたのかもしれません。よくわからないけれど、なんとなく気持ちが穏《おだ》やかになり、「死」の存在《そんざい》を受け入れていく。三十三間堂《さんじゅうさんげんどう》へ行けば、亡《な》くなった両親に面差《おもざ》しのよく似《に》た千手観音がおわし、会うことができる。そう思うことがずっと、彼女《かのじょ》たちの心の支《ささ》えになると思うのです。

福島への取材の旅で、私《わたし》は、道野さんが子どもたちを見つけた新地町へ行ってほしいと頼《たの》みました。新地町は海に面していますが平地も広く、津波《つなみ》が奥《おく》まで入り込《こ》んだだろうと思われました（子どもたちが避難《ひなん》していた場所は高台にありました）。

海岸線は新しく作られた防潮堤《ぼうちょうてい》に隠《かく》れて見えなくなっていました。できたばかりのJR新地駅の周りにはいくつかの公共の建物があり、少し歩けばホテルもできています。私《わたし》たちがあたりを見ていると、常磐線《じょうばんせん》の列車が駅に到着《とうちゃく》しました。昼間でしたので三両編成《へんせい》の車両はガラガラでしたが、朝晩《あさばん》の通勤通学《つうきん》時間帯にはそれなりに混雑《こんざつ》するということでした。

味わいというものには欠ける建物を道野さんは複雑《ふくざつ》な表情《ひょうじょう》で眺《なが》めていましたが、もっと海側にあった旧駅舎《きゅうえきしゃ》やホームへと向かう階段《かいだん》がひどく破壊《はかい》されていたのに比べると、ここまで戻《もど》ったのかという気持ちも私《わたし》たちには湧《わ》いてくるのでした。

その後、道野さんは私《わたし》を福島第一原発に近い町へ連れて行ってくれました。浪江町《なみえまち》、双葉町《ふたばまち》、大熊町《おおくままち》、富岡町《とみおかまち》、楢葉町《ならはまち》、広野町《ひろのまち》。少しずつ人が戻《もど》っているとはいえ、帰還《きかん》困難区域《こんなんくいき》では家々《いえいえ》の入り口は金網《かなあみ》でシャットアウトされ、不審《ふしん》な人間が立ち入らないように守られています。

震災《しんさい》後、ほとんど何も持たないまま避難《ひなん》しなくてはいけなかった人たちは、長い間家に帰れませんでしたが、その間に、ずいぶん泥棒《どろぼう》に入られたのです。また野生動物に荒《あ》らされた家もありました。

原発を遠くに眺《なが》められる大熊町では、工事車両がたくさん行き来していましたが、それ以外は草が生《お》い茂《しげ》り、無人の家が並《なら》ぶさまがなんともいえず悲しかったものです。

道野さんが私《わたし》に尋《たず》ねました。

「千葉さんの家が帰還《きかん》困難《こんなん》区域《くいき》になって、十年近く経《た》ってから帰ってもいいよと言われたら、戻《もど》る？」

私《わたし》は少し考えましたが、

「東京で今暮《く》らしているマンションだったら戻《もど》らない。でも陸前高田《りくぜんたかた》の実家なら戻《もど》る」

と答えました。

今の二十三区内にある家は上京してから五軒《けん》目の家です。私《わたし》は腰《こし》が重くて引《ひ》っ越《こ》しを好みませんので、それなりに腰《こし》を落ち着けて暮《く》らしていますが、たとえ都内で引っ越《こ》したとしても友人関係に変化はないでしょう。土地との結びつきが希薄《きはく》だからです。

東京二十三区でも何世代かに渡《わた》って暮《く》らしている方々《かたがた》はちゃんといて、町内会や神社の氏子《うじこ》として、きちんと結びつきを保《たも》って生活しています。でも私《わたし》のように他所から入ってきた人たちの多くは、地域《ちいき》とのつながりはあまりありません。プライバシーを保《たも》ちながら、気楽に生活していると言えるでしょう。大きな災害《さいがい》があったとしたら、あまり心を残さずに引っ越《こ》すだろうと思います。

しかし、実家の場合はそうはいきません。四百年ほど前から寺院として受け継《つ》いできた責任《せきにん》もありますし、思い出もたくさんあります。いわば、山河《さんが》と心が一体化しているのです。たとえ戻《もど》る人が少なくても帰りたいと思うでしょう。父母が眠《ねむ》っているお墓《はか》もあります。

福島で避難《ひなん》せざるを得《え》なかった人の多くは、先祖代々《せんぞだいだい》受け継《つ》いだ土地があり、仕事があり、お祭りなどの年中行事を共にした地域《ちいき》のつながりがありました。それは時に息苦しいものであったに違《ちが》いないのですが（私《わたし》自身、気楽な都会を選んで上京した人間です）、引き離《はな》されてしまえばどれほど懐《なつ》かしいものだったか。

死んだら家の近くにあるお墓《はか》に入る。それが自然な感覚だったのです。長い間先祖《せんぞ》のお墓参《はかまい》りさえ許《ゆる》されなかった苦しみは、土地と結びついていない人にはなかなかわかりづらいかもしれません。たとえば日本全体が放射能《ほうしゃのう》に汚染《おせん》されて暮《く》らせなくなり、外国へ移住《いじゅう》した後も帰国が許《ゆる》されなくなったらと想像《そうぞう》したら、少しは理解《りかい》されるでしょうか。

道野さんは時々《ときどき》、私《わたし》に火力発電所を指差して教えてくれました。

「福島というと原発の話になってしまうけれど、あの火力発電所から今も東京に電力が送られているんだよね」

道野さんに福島の浜通《はまどお》りを案内してもらった二カ月後、ＪＲの常磐線《じょうばんせん》が全線開通しました。原発の近くはそれまで運休区間となっていたのです。それがようやく品川から仙台《せんだい》まで一本で行けるようになりました。私《わたし》もずっと浜通《はまどお》りに行きやすくなります。郷里《きょうり》の鉄道が津波《つなみ》で被災《ひさい》し、廃線《はいせん》となってしまった私《わたし》にはとても羨《うらや》ましいことでした。

でも、彼《かれ》の思いはちょっと違《ちが》ったのです。

「まだ周辺はきれいになったとは言えない所もあるし、厳《きび》しい現実《げんじつ》を感じることもあるでしょう。あれを車窓《しゃそう》から見たらどう思うのかな。乗っていて悲しい気持ちになるかもしれないね」

ぽつんと道野さんが言いました。

かつての町を記憶《きおく》している人にとって、ところどころに見えた草ぼうぼうの景色は寂《さび》しいものに違《ちが》いありません。

一方で、列車の窓《まど》から眺《なが》める光景という言葉は、私《わたし》に宮澤賢治《みやざわけんじ》の『銀河鉄道《ぎんがてつどう》の夜』を思い起こさせました。

道野さん一家はその物語を繰《く》り返し読んで、兄夫婦《あにふうふ》や両親を亡《な》くした悲しみを慰《なぐさ》めました。悲しみをたっぷりとたたえた物語なのに慰《なぐさ》められる。それは車窓《しゃそう》から見える景色が無限《むげん》の宇宙《うちゅう》につながっているからかもしれません。

4

『銀河鉄道の夜』とわたし。

道野久人《みちのひさと》さん親子が東日本大震災《ひがしにほんだいしんさい》後に心の支《ささ》えとしたますむらひろしさんの『銀河《ぎんが》鉄道《てつどう》の夜』。その原作となった宮澤賢治《みやざわけんじ》の童話『銀河鉄道《ぎんがてつどう》の夜』は、私《わたし》にとっても特別な本です。この素晴《すば》らしいタイトルを見ただけで、一行の詩のように感じられます。満天の星空を走る列車と連なる窓《まど》の明かりが見えるようです。

詩人で童話作家の宮澤賢治《みやざわけんじ》は、明治二九年（一八九六年）八月二十七日、現在《げんざい》の岩手県花巻市《はなまきし》に生まれました。花巻《はなまき》は私《わたし》が高校時代を過《す》ごした土地です。

実は私《わたし》は岩手県生まれながら、子どもの頃《ころ》はそれほど賢治《けんじ》の童話に親しんでいたわけではありませんでした。幼《おさな》い頃《ころ》から中毒《ちゅうどく》と言ってよいほど本が好きでしたが、早く大人の本が読めるようになりたいと思い、小学校高学年ともなると、生意気にも絵本や童話は「子どもの読むもの」だと思って遠ざけていたのです。もちろん今ではそんな気持ちは持っていませんが……。その中で例外的に好きだったのが『銀河鉄道《ぎんがてつどう》の夜』でした。ここには私《わたし》が求めるものがすべて入っていると言っても過言《かごん》ではありません。

本の好きな人たちとの会話でよく話題になるのが「乗っていた船が難破《なんぱ》して無人島で暮《く》らさなくてはいけなくなった時、一冊《さつ》だけ本を持てるとしたら何がいいか？」という命題です。

それに対して、以前は『万葉集』と答えていたものですが、その無人島に日本と同じような四季がなかったら、『万葉集』の情緒《じょうちょ》はあまりにも遠いものになってしまうでしょう。いつしか私《わたし》は「無人島における一冊《さつ》」に『銀河鉄道《ぎんがてつどう》の夜』を選ぶようになっていました。

賢治《けんじ》の代表作ですから、お読みになった方も多いと思います。舞台《ぶたい》は仮想《かそう》のある街です。そこは日本風ではなく、ヨーロッパのようにも思えます。

主人公のジョバンニが住む裏町《うらまち》の家は、入り口が三つあって、いちばん左側の入り口のそばには空き箱がおかれ、紫色《むらさきいろ》のケールやアスパラガスが植えられています。二つある小さな窓《まど》には日覆《ひおお》いがかけられています。

病気のお母さんと暮《く》らすジョバンニは、朝は新聞配達を、学校が終わると活版《かっぱん》印刷所で活字を拾うアルバイトをして生活を支《ささ》えています。お父さんは漁の仕事に行った北国で消息がわからなくなり、悪いことをして監獄《かんごく》に入ったという噂《うわさ》だけが届《とど》いているのです。そのせいでジョバンニは、同級生のザネリやその仲間たちから言葉のいじめを受けていました。

決していじめなかったのが友人のカムパネルラでした。忙《いそが》しく働いていて授業《じゅぎょう》にも遅《おく》れがちなジョバンニを、彼《かれ》はいつも気の毒《どく》そうに眺《なが》めているのでした。

ジョバンニは星祭「ケンタウル祭」の夜、街へ行く途中《とちゅう》でまたザネリたちに冷たい言葉を投げつけられます。ケンタウル祭のため、街の家々《いえいえ》ではイチイの葉の玉を吊《つ》るしたり、ヒノキの枝《えだ》に明かりをつけたりと楽しい準備《じゅんび》が進んでいるのに、ジョバンニは冷えた胸《むね》を抱《かか》えて街外れの黒い丘《おか》へ駆《か》けていきます。そして草むらに仰向《あおむ》けに寝転《ねころ》んで、一人で星空を眺《なが》めるのでした。

するとどこかで、ふしぎな声が、銀河《ぎんが》ステーション、銀河《ぎんが》ステーションと云《い》ふ声がしたと思ふといきなり眼《め》の前が、ぱっと明るくなって、まるで億万の蛍烏賊《ほたるいか》の火を一ぺんに化石させて、そら中に沈《しず》めたといふ工合《ぐあひ》、またダイアモンド会社で、ねだんがやすくならないために、わざと穫《と》れないふりをして、かくして置いた金剛石《こんごう》を、誰《たれ》かがいきなりひっくりかへして、ばら撒《ま》いたといふ風に、眼《め》の前がさあっと明るくなって、ジョバンニは、思はず何べんも眼《め》を擦《こす》ってしまひました。

気がついてみると、さっきから、ごとごとごとごと、ジョバンニの乗ってゐる小さな列車が走りつづけてゐたのでした。ほんたうにジョバンニは、夜の軽便鉄道の、小さな黄いろの電燈《でんとう》のならんだ車室に、窓《まど》から外を見ながら座《すわ》ってゐたのです。車室の中は、青い天鵞絨《びろうど》を張《は》った腰掛《こしか》けが、まるでがら明きで、向ふの鼠《ねずみ》いろのワニスを塗《ぬ》った壁《かべ》には、真鍮《しんちゅう》の大きなぼたんが二つ光ってゐるのでした。

なんという素晴《すば》らしい場面転換《てんかん》でしょう。目の前が明るくなったという表現《ひょうげん》を海のホタルイカやひっくり返された大量のダイアモンドに託《たく》し、次に一転して暗い軽便《けいべん》鉄道の描写《びょうしゃ》になります。軽便鉄道とは、線路の規格《きかく》や車両が安くできる小規模《しょうきぼ》な鉄道のことを指し、賢治《けんじ》の故郷《こきょう》である岩手県花巻《はなまき》市にもかつて岩手軽便鉄道が走っていました。

私《わたし》も、かつて軽便鉄道だったという列車によく乗ったものです。東北新幹線《とうほくしんかんせん》もとまる岩手県一関市《いちのせき》の一ノ関《いち》《せき》駅から大船渡《おおふなと》市の盛《さかり》駅まで走っていたＪＲ大船渡線《おおふなとせん》です。東日本大震災《ひがしにほんだいしんさい》で海に面していた線路や駅が流されてしまったため、今では気仙沼《けせんぬま》駅から先はバスになってしまいましたが、それまでは実家に帰る時は必ず乗っていました。

ディーゼルエンジンで引っ張《ぱ》る列車ですが、私《わたし》の幼《おさな》い頃《ころ》はまだ蒸気機関車《じょうききかんしゃ》でした。狭《せま》い車両には木枠《きわく》のついた窓《まど》に木枠《きわく》のついた座席《ざせき》があって、背中《せなか》の当たるところには賢治《けんじ》の言う通り、確《たし》か青いビロードが張《は》ってあったと思います。もっともツヤツヤだったはずのビロードはたくさんの乗客の背中《せなか》がこすったため擦《す》り切れそうになっていましたが。

暑い時期は窓《まど》を開け放って風を入れ、トンネルに入るときは煙《けむり》が車内に流れ込《こ》まないよう一斉《いっせい》に窓《まど》をしめた記憶《きおく》があります。閉《し》めないと顔が煤《すす》でまっくろになってしまいます。

夜には車内にオレンジ色の電燈《でんとう》がつけられ、暗い外の景色を眺《なが》めながらゴトンゴトンという揺《ゆ》れに身を任《まか》せていました。ゆっくりと走っていくので、外から見れば窓《まど》の明かりが連なっているのがわかったでしょう。新幹線《しんかんせん》のようにゴーッという音とすさまじい風圧《ふうあつ》が一瞬《いっしゅん》のうちに通り過《す》ぎてしまうと中の様子などわかりませんが、ジョバンニが乗った軽便鉄道なら、乗っている人の顔までわかったに違《ちが》いありません。ゴトンゴトンという揺《ゆ》れは眠《ねむ》りを誘《さそ》い、ジョバンニが目を覚ましたら軽便鉄道の座《ざ》席《せき》に座《すわ》っていたという感覚が私《わたし》にはよく理解《りかい》できます。

目の覚めたジョバンニは隣《となり》にカムパネルラが座《すわ》っていることに気づきます。友人に再会《さいかい》できて喜《よろこ》ぶジョバンニでしたが、カムパネルラは顔が少し青ざめて、どこか苦しそうに見えました。

二人は銀河《ぎんが》鉄道に乗って、宇宙《うちゅう》を旅していきます。そこには不思議な景色があり、不思議な人々《ひとびと》が乗り降《お》りします。銀河《ぎんが》ステーションからしばらく走ったところで、カムパネルラは突然《とつぜん》こんなことを言います。

「おっかさんは、ぼくをゆるして下さるだらうか。」

いきなり、カムパネルラが、思ひ切ったといふやうに、少しどもりながら、急《せ》きこんで云《い》ひました。

ジョバンニは、

（あゝ、さうだ、ぼくのおっかさんは、あの遠い一つのちりのやうに見える橙《だいだい》いろの三角標のあたりにいらっしゃって、いまぼくのことを考へてゐるんだった。）と思ひながら、ぼんやりしてだまってゐました。

「ぼくはおっかさんが、ほんたうに幸《しあはせ》になるなら、どんなことでもする。けれども、いったいどんなことが、おっかさんのいちばんの幸《しあはせ》なんだらう。」カムパネルラは、なんだか、泣きだしたいのを、一生けん命こらへてゐるやうでした。

「きみのおっかさんは、なんにもひどいことないぢゃないの。」ジョバンニはびっくりして叫《さけ》びました。

「ぼくわからない。けれども、誰《たれ》だって、ほんたうにいいことをしたら、いちばん幸《しあはせ》なんだねえ。だから、おっかさんは、ぼくをゆるして下さると思ふ。」カムパネルラは、なにかほんたうに決心してゐるやうに見えました。

ジョバンニはカムパネルラのようすから、何かただならぬものを感じ取ります。しかし外には不思議に美しい景色が次々《つぎつぎ》と現《あらわ》れ、目を奪《うば》われているうちに「白鳥の停車《ていしゃ》場《ば》」や「鷲《わし》の停車場《ていしゃば》」へと向かいます。そのあたりから十二歳《さい》くらいの女の子と六歳《さい》くらいの男の子、それに付き添《そ》いらしき青年が乗ってきます。男の子はびっくりしたような顔をして、なぜかガタガタ震《ふる》えながら裸足《はだし》で立っています。女の子は不思議そうに外を眺《なが》めていました。

「あゝ、こゝはランカシャイヤだ。いや、コンネクテカット州だ。いや、あゝ、ぼくたちはそらへ来たのだ。わたしたちは天へ行くのです。ごらんなさい。あのしるしは天上のしるしです。もうなんにもこはいことありません。わたくしたちは神さまに召《め》されてゐるのです。」黒服の青年はよろこびにかゞやいてその女の子に云《い》ひました。

青年の話を聞いていくうちに、この三人連れは豪華《ごうか》客船に乗っていて（タイタニック号の沈没《ちんぼつ》という世界的な大事件《だいじけん》がありました）、船が氷山に衝突《しょうとつ》して沈没《ちんぼつ》し、救命《きゅうめい》ボートにも乗れないままに溺《おぼ》れて亡《な》くなったことがわかってきます。幼《おさな》い人たちをなんとか助けたいと思ったけれど、船が傾《かたむ》いてしまって無理だったと青年はその時のようすを語り、それを聞いたジョバンニはとてもつらい気持ちになります。

列車が進んでいくと、川の向こうに火が燃《も》やされ、ルビーよりも赤くリチウムよりもうつくしく酔《よ》ったように照っているのが見えてきました。地図を見ると、それは「蝎《さそり》の火」でした。すると女の子は、蝎《さそり》が焼けて死んだこと、その火は今でも燃《も》え続けているのだと話します。

たくさんの小さな虫を食べて生きていた蝎《さそり》は、ある日いたちに追いかけられ、逃《に》げているうちに井戸に落ちてしまいます。どうあがいても登っていけず、溺《おぼ》れ始めた蝎《さそり》はお祈《いの》りをしました。


「あゝ、わたしはいままでいくつのものの命をとったかわからない、そしてその私がこんどいたちにとられようとしたときはあんなに一生けん命にげた。それでもたうとうこんなになってしまった。あゝなんにもあてにならない。どうしてわたしはわたしのからだをだまっていたちに呉《く》れてやらなかったらう。そしたらいたちも一日生きのびたらうに。どうか神さま。私の心をごらん下さい。こんなにむなしく命をすてずどうかこの次にはまことのみんなの幸のために私のからだをおつかひ下さい。って云《い》ったといふの。そしたらいつか蝎《さそり》はじぶんのからだがまっ赤なうつくしい火になって燃《も》えてよるのやみを照らしてゐるのを見たって。いまでも燃《も》えてるってお父さん仰《おつしや》ったわ。ほんたうにあの火それだわ。」

「蝎《さそり》の火」とは蠍座《さそりざ》のアンタレスのことを指すのでしょう。この赤色巨星《せきしょくきょせい》は夜空に赤く輝《かがや》き、賢治《けんじ》はその姿《すがた》を自分で作詞《さくし》作曲をした《星めぐりの歌》にも「あかいめだまのさそり」として登場させています。

三人は「サウザンクロスの停車場《ていしゃば》」で降《お》りていきました。そこは天上へ続く道があるのです。ジョバンニたちが見ていると、三人はつつましく列を作って天の川を渡《わた》っていき、向こう岸から神々《こうごう》しい白いきものの人が手を伸《の》ばして彼《かれ》らを迎《むか》えました。その時呼子《よびこ》が鳴り、汽車は走り出してしまいます。

ジョバンニはまたカムパネルラと二人きりになり、旅を続けます。

ジョバンニはあゝと深く息しました。

「カムパネルラ、また僕《ぼく》たち二人きりになったねえ、どこまでもどこまでも一緒《いっしょ》に行かう。僕《ぼく》はもうあのさそりのやうにほんたうにみんなの幸《さいはひ》のためならば僕《ぼく》のからだなんか百ぺん灼《や》いてもかまはない。」

「うん。僕《ぼく》だってさうだ。」カムパネルラの眼《め》にはきれいな涙《なみだ》がうかんでゐました。

（中略《ちゅうりゃく》）

「カムパネルラ、僕《ぼく》たち一緒《いっしょ》に行かうねえ。」ジョバンニが斯《か》う云《い》ひながらふりかへって見ましたらそのいままでカムパネルラの座《すわ》ってゐた席にもうカムパネルラの形は見えずたゞ黒いびろうどばかりひかってゐました。ジョバンニはまるで鉄砲丸《てっぽうだま》のやうに立ちあがりました。そして誰《たれ》にも聞《きこ》えないやうに窓《まど》の外へからだを乗り出して力いっぱいはげしく胸《むね》をうって叫《さけ》びそれからもう咽喉《のど》いっぱい泣きだしました。もうそこらが一ぺんにまっくらになったやうに思ひました。


はっと気づくとジョバンニは元の黒い丘《おか》の上にいました。ジョバンニはお母さんの待つ家へ急ぎます。途中《とちゅう》の川のところで、大人たちが集まっているのを見かけました。カムパネルラが川へ落ちたザネリを助けようとして、自分が流されてしまったのです。

ざわつく大人たちをよそにジョバンニは悟《さと》ります。もうカムパネルラは遠い銀河《ぎんが》の外れにいるのだと。二人が乗った銀河《ぎんが》鉄道は、死者たちを乗せて銀河《ぎんが》の果てまで行く列車だったのです。

『銀河鉄道《ぎんがてつどう》の夜』は賢治《けんじ》の代表作としておびただしい数の研究論文《ろんぶん》が書かれ、書籍《しょせき》もたくさんあります。この美しい物語は謎《なぞ》に満ちていて、何度読み返してみても読み終えたという気がしません。

そこには貧《まず》しい少年ジョバンニがおり、少年期の残酷《ざんこく》さに満ちたザネリたちがいて、一方ではインテリジェンスにあふれた家庭に育ったカムパネルラもいます。お父さんが元気でお金やら珍《めずら》しい北方のお土産《みやげ》を持って帰っていた頃《ころ》は、ジョバンニも楽しくカムパネルラとつきあえたのに、今は朝も放課後も働かねばならず、ゆっくり言葉を交《か》わすゆとりもありません。

しかし黒い丘《おか》で広い星空を見ながら寝入《ねい》ってしまったジョバンニは、思いがけず心の友カムパネルラと壮大《そうだい》な旅に出かけます。描写《びょうしゃ》の一つ一つが私《わたし》には心に染《し》みるようでした。その気持ちは素晴《すば》らしい星空の見られる高校時代の三年間を花巻《はなまき》市で過《す》ごして、さらに強くなったように思います。岩手県は全域《ぜんいき》でよく星が見えますが、花巻《はなまき》周辺は特に空が大きく、降《ふ》るような星空を楽しむことができました。

ジョバンニがカムパネルラと列車の中で再会《さいかい》した時、既《すで》にカムパネルラはザネリを助けて溺《おぼ》れ死んでいたと考えられます。人を助けるために死んでしまった彼《かれ》は、嘆《なげ》き悲しむであろうお母さんのことを思い、

「おっかさんは僕《ぼく》をゆるして下さるだろうか」

と問いかけます。事情《じじょう》がわからないジョバンニはびっくりしますが、カムパネルラは続けてこう言います。

「ぼくわからない。けれども、誰《たれ》だって、ほんたうにいいことをしたら、いちばん幸《しあはせ》なんだねえ。だから、おっかさんは、ぼくをゆるして下さると思ふ。」カムパネルラは、なにかほんたうに決心してゐるやうに見えました。

ここで私《わたし》はどうしても、東日本大震災《ひがしにほんだいしんさい》のことを思い出さずにはいられません。あの日、役所の職員《しょくいん》や消防団《しょうぼうだん》のように責任《せきにん》ある立場の人はもちろん、そうでない人でも他

の人を助けようとして亡《な》くなってしまった人がたくさんいたからです。

残された家族は、たとえ人助けのために命を落としたといっても、納得《なっとく》できるわけではありません。繰《く》り返し繰《く》り返し、「なぜあの時逃《に》げてくれなかったのか」と考えたに違《ちが》いありません。

賢治《けんじ》も物語の中で答えを用意していたわけではないでしょう。そもそも万人に当てはまる答えなどありようがないのです。ただ、彼《かれ》自身の生き方としては、逃《に》げ遅《おく》れそうな人がいたらきっと助けただろうと思うだけです。

ジョバンニは、カムパネルラが落ちたという川のそばに行ってみます。そこには救《きゅう》助《じょ》作業をしている人たちがたくさん集まっており、黒い川の水はアセチレンランプに照らされてチラチラと光るのでした。


下流の方は川はゞ一ぱい銀河《ぎんが》が巨《おほ》きく写ってまるで水のないそのまゝのそらのやうに見えました。

ジョバンニはそのカムパネルラはもうあの銀河《ぎんが》のはづれにしかゐないといふやうな気がしてしかたなかったのです。

とても美しい描写《びょうしゃ》です。銀河《ぎんが》を大きく映《うつ》すほどですから、大きな川だったのでしょう。賢治《けんじ》の郷里《きょうり》を流れる北上川《きたかみがわ》もとうとうと流れる一級河川《かせん》です。遠い銀河《ぎんが》のはずれに親友は行ってしまったのだとジョバンニは思わずにはいられません。友の「死」を描写《びょうしゃ》して、これほど美しい文章があるでしょうか。

物語の謎《なぞ》の深まりは、大震災《だいしんさい》後の答えのない問いが渦巻《うずま》く中で、かえって私《わたし》の救《すく》いとなったように思います。この時期、自分の身を捨《す》てて人々《ひとびと》を助ける『グスコーブドリの伝記』などはまったく手をつけられませんでした。

現実《げんじつ》とは遠い仮想《かそう》の世界で、清冽《せいれつ》な謎《なぞ》に満ち、読み手に深い問いかけを残していく『銀河鉄道《ぎんがてつどう》の夜』。誰《だれ》が助かり、誰《だれ》が死ななければならなかったのか。なぜ意地悪なザネリを助けて、心やさしいカムパネルラが死んでいったのか。

不思議なことに、この「死」の寓意《ぐうい》に満ちた物語を読むことで、私《わたし》の中の生命力のようなものが少しずつ蘇《よみがえ》っていくのを感じました。現実《げんじつ》は厳《きび》しく、一年経《た》ってもまだ次々《つぎつぎ》に行方《ゆくえ》不明者の名前が判明《はんめい》し、家族のもとへと帰っていきました。帰れない人たちを待って、多くの人々《ひとびと》が嘆《なげ》く姿《すがた》も報道《ほうどう》されました。メディアは競って、これらの人間物語を伝えていました。

瓦礫《がれき》が山のように積み重なっていた故郷《こきょう》も、それらの分別が終わり、運び出されて、平らな土地が顔を出すようになりました。その土はあっという間に草でおおわれていきます。自然の生命力には驚《おどろ》くばかりだったのですが、ここに町並《まちな》みがあったことを知らない方から、

「緑がきれいですね」

と言われると悲しくてならなかったものです。

今はきれいに草が覆《おお》い尽《つ》くしているかもしれないけれど、ここにはかつて人々《ひとびと》が営《いとな》んだ暮《く》らしがあり、さまざまな喜怒哀楽《きどあいらく》があったのだ。そう叫《さけ》びたいような気持ちでした。

そのうちところによっては盛《も》り土が始まり、実家の近くでは再《ふたた》び田んぼに黄金色の稲《いね》が実る日もやってきました。よくぞまた、この季節を迎《むか》えられた！

実った稲《いね》の香りを嗅《か》いだ私《わたし》は、賢治《けんじ》が花巻《はなまき》農学校の教師《きょうし》として若者《わかもの》を指導《しどう》していた時期の文章を思い出しました。

当時の講義《こうぎ》ノートともいうべき「農民芸術概論綱要《げいじゅつがいろんこうよう》」の中に次のような一節があ

ります。私《わたし》はこの一節を、宗教哲学者《しゅうきょうてつがくしゃ》の山折哲雄《やまおりてつお》先生に教えていただきました。

まづもろともにかがやく宇宙《うちゅう》の微塵《みじん》となりて無方の空にちらばらう

これを読んだ時、私《わたし》はパッと、カムパネルラのことを思い出しました。銀河《ぎんが》鉄道に乗って、銀河《ぎんが》のはずれまで行ってしまった少年。彼《かれ》は宇宙《うちゅう》の微塵《みじん》となって、空に散らばっていったのだ。

「自分の『死』もそういうものなら納得《なっとく》できる」

と、私《わたし》の中にスッと入ってきたのです。

銀河《ぎんが》鉄道の乗客は次々《つぎつぎ》に列車から降《お》りて行きます。行き先が決まっていて、先に降《お》りる人もいる。私《わたし》の死んでしまった友人たちも、それぞれの駅で降《お》りていったのだ。私《わたし》もいずれ目的の駅に降《お》り立つ日が来る。そうしたら、「まづもろともに」散らばっていけばよいのだ……。

そう思うと、震災《しんさい》後のくたびれはてた心が少し安らぐような気持ちになるのでした。

5

大切な人を失うということ。
賢治とトシ。

童話作家として知られる宮澤賢治《みやざわけんじ》には、もう一つ、詩人としての顔があります。

東日本大震災《ひがしにほんだいしんさい》後、震災《しんさい》関連のノンフィクション以外の小説などがまったく読めない時期がありました。そんな時、手に取ったのは賢治の詩集でした。繰《く》り返し読んできた詩が、大きな災厄《さいやく》を目にしてしまった私《わたし》の心に新しい水脈《すいみゃく》として流れ込《こ》んできたように思います。それには理由があります。

賢治《けんじ》が生まれたのは明治二九年。この年は、明治三陸大津波《さんりくおおつなみ》や大洪水《だいこうずい》、陸羽地震《りくうじしん》にも見舞《みま》われた災害《さいがい》の年に当たっています。当時の東北地方はたびたび冷害にも見舞《みま》われていました。ちなみに賢治《けんじ》が亡《な》くなった昭和八年の年の三月三日には、昭和の三陸大地震《おおじしん》が起きています。彼《かれ》の人生は災害《さいがい》とともにあったのです。

短い人生で、賢治《けんじ》はさまざまな職業《しょくぎょう》を志《こころざ》しました。しかしある時期から花巻《はなまき》農学校の教師《きょうし》を経《へ》て、肥料設計《ひりょうせっけい》などの農業指導《しどう》に力を入れるようになります。冷害や日照り、水害に苦しむ農民を助け、ともに生きようと考えたからです。

しかし、彼《かれ》がどんなに知恵《ちえ》を絞《しぼ》って肥料設計《ひりょうせっけい》をしても、冷害や台風は容赦《ようしゃ》なく農民から実りを奪《うば》い取っていきました。彼《かれ》の詩の中には、無力な自分への怒《いか》り、嘆《なげ》きを見て取ることができます。ある種救《すく》いのない、厳《きび》しさに満ちた言葉だったからこそ、大震災《しんさい》直後の私《わたし》の心にしっくりと寄《よ》り添《そ》ってくれたのかもしれません。

そして時間が経《た》つにつれ、私《わたし》は徐々《じょじょ》に以前読んだ賢治《けんじ》の「挽歌《ばんか》」の世界に沈潜《ちんせん》するようになっていきました。「挽歌《ばんか》」とは死んでしまった人を悼《いた》む詩歌のことです。古来、日本の詩歌は「恋愛《れんあい》」と「挽歌《ばんか》」に名作があると言われていますが、賢治《けんじ》の詩の中で特に有名な作品も「挽歌《ばんか》」でした。

賢治《けんじ》には三人の妹と一人の弟がいます。特に兄として愛情《あいじょう》を傾《かたむ》けたのが、すぐ下の妹のトシ（とし子）でした。二歳《さい》年下で頭がよく、日本女子大学卒業という当時の女《じょ》性《せい》としては珍《めずら》しく高い学歴《がくれき》を持ち、賢治《けんじ》のよき理解者《りかいしゃ》でもあったトシ。しかし彼女《かのじょ》は結核《けっかく》のため、二十四歳《さい》の若《わか》さで生涯《しょうがい》を閉《と》じました。

結核《けっかく》は今でこそあまり聞かなくなりましたが、当時は恐《おそ》ろしい感染症《かんせんしょう》として忌《い》み嫌《きら》われていた病気です。結核菌《けっかくきん》に感染《かんせん》すると肺《はい》が侵《おか》され、咳《せき》や痰《たん》が出て熱が続き、ひどくなると喀血《かっけつ》や呼吸困難《こきゅうこんなん》に苦しみながら亡《な》くなってしまいます。

特効薬《とっこうやく》がなく一度かかるとなかなか完治が望めないため、「死病」として恐《おそ》れられていました。実は今でも日本では年間一万七〇〇〇人が新たに結核《けっかく》にかかり、二三〇〇人が亡《な》くなっています（二〇一八年）。

私《わたし》が幼《おさな》い頃《ころ》、父も結核《けっかく》で何年か入院していたことがあります。一時は死も覚悟《かくご》したそうですが、幸い特効薬《とっこうやく》ができて助かりました。

この恐《おそ》ろしい病気にかかってしまったトシは、病状《びょうじょう》が悪化すると、花巻《はなまき》の実家近くに借りた療養《りょうよう》のための家で賢治《けんじ》の看護《かんご》を受けるようになりました。看病《かんびょう》の甲斐《かい》なく衰《おとろ》えていくトシに賢治《けんじ》はなすすべもありません。彼女《かのじょ》の意識《いしき》は亡《な》くなる直前まで澄《す》みきっていました。

トシを看取《みと》った後、賢治《けんじ》はのちに名作と呼《よ》ばれる詩をいくつも書いています。中でもよく知られているのが、詩集『春と修羅《しゅら》』に収《おさ》められた連作「無声慟哭《どうこく》」の中の《永訣《えいけつ》の朝》でしょう。私《わたし》は最初、この詩を中学校の教科書で読みました。

永遠《えいえん》の別れとなる日の朝、熱に苦しみながらも、トシは賢治《けんじ》に「あめゆじゅ＝みぞれ」を採《と》ってきてほしいと頼《たの》みます。少し長いですが、全行を載《の》せたいと思います。

永訣《えいけつ》の朝

けふのうちに
とほくへいつてしまふわたくしのいもうとよ
みぞれがふつておもてはへんにあかるいのだ
　（あめゆじゆとてちてけんじや）
うすあかくいつそう陰惨《いんざん》な雲から
みぞれはびちよびちよふつてくる
　（あめゆじゆとてちてけんじや）
青い蓴菜《じゆんさい》のもやうのついた
これらふたつのかけた陶椀《たうわん》に
おまへがたべるあめゆきをとらうとして
わたくしはまがつたてつぽうだまのやうに
このくらいみぞれのなかに飛びだした

（あめゆじゆとてちてけんじや）
蒼鉛《さうえん》いろの暗い雲から
みぞれはびちよびちよ沈《しず》んでくる
ああとし子
死ぬといふいまごろになつて
わたくしをいつしやうあかるくするために
こんなさつぱりした雪のひとわんを
おまへはわたくしにたのんだのだ
ありがたうわたくしのけなげないもうとよ
わたくしもまつすぐにすすんでいくから
（あめゆじゆとてちてけんじや）
はげしいはげしい熱やあへぎのあひだから
おまへはわたくしにたのんだのだ
銀河《ぎんが》や太陽　気圏《きけん》などとよばれたせかいの
そらからおちた雪のさいごのひとわんを……

……ふたきれのみかげせきざいに
みぞれはさびしくたまつてゐる
わたくしはそのうへにあぶなくたち
雪と水とのまつしろな二相系《にさうけい》をたもち
すきとほるつめたい雫《しずく》にみちた
このつややかな松のえだから
わたくしのやさしいいもうとの
さいごのたべものをもらつていかう
わたしたちがいつしよにそだつてきたあひだ
みなれたちやわんのこの藍《あい》のもやうにも
もうけふおまへはわかれてしまふ
(Ora orade Shitori egumo)
ほんたうにけふおまへはわかれてしまふ
あああのとざされた病室の
くらいびやうぶやかやのなかに

やさしくあをじろく燃《も》えてゐる
わたくしのけなげないもうとよ
この雪はどこをえらばうにも
あんまりどこもまつしろなのだ
あんなおそろしいみだれたそらから
このうつくしい雪がきたのだ
（うまれでくるたて
こんどはこたにわりやのごとばかりで
くるしまなあよにうまれてくる）
おまへがたべるこのふたわんのゆきに
わたくしはいまこころからいのる
どうかこれが天上のアイスクリームになつて
おまへとみんなとに聖《きよ》い資糧《かて》をもたらすやうに
わたくしのすべてのさいはひをかけてねがふ
《一九二二、一一、二七》

今日のうちに死んでしまう妹に頼《たの》まれ、外へ飛びだしていった賢治《けんじ》。岩手・花巻《はなまき》の十一月末はもう初冬です。ここに三年間暮《く》らした私《わたし》は、水っぽい雪が光を反射《はんしゃ》し、病人の白い顔を照らすようすをありありと思い浮《う》かべることができます。

トシの頼《たの》みを聞いて鉄砲玉《てっぽうだま》のように外へ飛び出した賢治《けんじ》は、水を含《ふく》んだ雪の香りを吸《す》い込《こ》んだことでしょう。手に持っているのは藍《あい》の染付《そめつ》けの茶碗《ちゃわん》です。子どもの頃《ころ》から使い慣《な》れてきた茶碗《ちゃわん》に、妹が最後に口にする雪を採《と》っていくのです。

少し青みがかった鉛色《なまりいろ》の雲が垂《た》れ込《こ》める空を見上げれば、雪がどんどん降《ふ》ってきます。わたしの高校時代、花巻《はなまき》は今よりもずっと雪が多く、十二月ともなれば根雪になりました。春になるまで雪が溶《と》けないのです。

毎日降《ふ》りしきる雪を眺《なが》めながら、鉛色《なまりいろ》の広い空のどこからこんなものが大量に舞《ま》い落ちてくるのだろうと、不思議になったものでした。見ているとこちらが空に吸《す》い込《こ》まれそうな気持ちになるのです。賢治《けんじ》の時代もそうだったはずです。

松の枝《えだ》に重たくたまったみぞれのきれいなところを選んで、賢治《けんじ》は茶碗《ちゃわん》にすくいとりました。花巻《はなまき》は真冬になるとさらさらしたパウダースノーが降《ふ》る土地で、体についた雪はちょっと払《はら》うだけで落ちてしまいます。そのため傘《かさ》をさす必要もないのですが、初冬の雪は賢治《けんじ》の顔や着ていた服をしとどに濡《ぬ》らしたことでしょう。

《永訣《えいけつ》の朝》に続く《松の針《はり》》では、雪と一緒《いっしょ》に賢治《けんじ》が折り取っていった松の枝《えだ》をトシがひどく喜《よろこ》び、熱で火照《ほて》った頬《ほお》にあて、「ああいい　さっぱりした　まるで林のながさ来たよだ（ああいい、さっぱりした。まるで林の中に来たようだ）」と言ったとあります。濡《ぬ》れた松葉の香りは肺《はい》が清められるような心地のするものです。

彼《かれ》の頭の中に、息も絶《た》え絶《だ》えになりながらトシが発した言葉がこだまします。

「みぞれを採《と》ってきてちょうだい」

「私《わたし》は私《わたし》で、独《ひと》りで行きます」

「生まれ変わるなら、今度はこんなに自分のことばかりで苦しまないように生まれてきます」

賢治《けんじ》は法華経《ほけきょう》を信仰《しんこう》していました。生家は浄土真宗《じょうどしんしゅう》。両親とも信仰篤《しんこうあつ》く、賢治《けんじ》やトシも「南無阿弥陀仏《なむあみだぶつ》」という御念仏《おねんぶつ》に触《ふ》れて育っています。

宮澤家《みやざわ》は質屋《しちや》など手広く事業を営《いとな》む豊《ゆた》かな家でした。しかし賢治《けんじ》は、貧《まず》しい農民からなけなしの質草《しちぐさ》をとってお金を貸《か》す家のなりわいに強い反発を覚えるようになります。賢治《けんじ》が生まれる二カ月前には明治三陸大津波《おおつなみ》があり、たびたび冷害による飢饉《ききん》に苦しむなど、貧《まず》しくなるばかりの人々《ひとびと》から利息をとる商いだからです。

もちろん賢治《けんじ》自身もその豊《ゆた》かさを享受《きょうじゅ》して育ちました。きちんとした教育を受け、本をふんだんに与《あた》えられ、レコードで音楽を聴《き》いたりチェロを習ったりすることもできました。花巻《はなまき》にあった楽器店でレコードの売り上げが大きいことに驚《おどろ》いたレコード会社のポリドールが感謝状《かんしゃじょう》を送ったところ、実はそのほとんどを賢治《けんじ》が購入《こうにゅう》していたというエピソードがあるそうです。

自分の中にさまざまな矛盾《むじゅん》が存在《そんざい》していることに、賢治《けんじ》は悩《なや》んだのです。食べるものにも事欠く北東北からは、たくさんの娘《むすめ》たちが都市部へ奉公《ほうこう》に行き、ひどい場合には遊郭《ゆうかく》へと売られていきました。

彼《かれ》はもっと積極的に世の矛盾《むじゅん》を改革《かいかく》していきたいと願い、「何事も阿弥陀《あみだ》様におまかせして感謝《かんしゃ》しながら生きる」という浄土真宗《じょうどしんしゅう》よりも、行動を重視《じゅうし》する日蓮宗《にちれんしゅう》に帰依《きえ》するようになりました。寒い冬、花巻《はなまき》の町を、太鼓《たいこ》を叩《たた》きながら「南無妙法蓮華《なむみょうほうれんげ》経《きょう》」と大声でお題目を唱えて歩く寒行《かんぎょう》に挑《いど》んだこともありました。そのため、父と強くぶつかります。純粋《じゅんすい》な賢治《けんじ》は父母にも改宗《かいしゅう》を求めたからです。

両親が嫌《きら》いだったわけではありません。ぶつかったことで賢治《けんじ》自身も傷《きず》ついたに違《ちが》いありません。そんな兄を支《ささ》えたのが共に日蓮宗《にちれんしゅう》に帰依《きえ》したトシでした。トシは幼《おさな》い頃《ころ》からいつも一緒《いっしょ》にいた友であり、社会をよりよく変えていこうとする同志《どうし》でもありました。

生まれ変われたら今度は自分のことで苦しまないようにしたいと、苦しい息の下から言うトシ。丈夫《じょうぶ》な体さえあれば、もっと人々《ひとびと》の役に立ちたかったと思っていたのではないでしょうか。賢治《けんじ》にとって信仰《しんこう》は自分の生き方と不可分《ふかぶん》で、共に歩もうとしてくれたトシはただの妹ではなかったのです。

それなのに、たった一人の道連れだったトシが先に逝《い》こうとしています。トシが死んだ十一月二十七日の夜、一気に書かれた《永訣《えいけつ》の朝》《松の針《はり》》《無声慟哭《どうこく》》三部作は、異様《いよう》な迫力《はくりょく》を持って私《わたし》の胸《むね》に迫《せま》ってきます。三部作に続く《白い鳥》では、

二疋《ひき》の大きな白い鳥が
鋭《するど》くかなしく啼《な》きかはしながら
しめつた朝の日光を飛んでゐる

それはわたくしのいもうとだ
死んだわたくしのいもうとだ
兄が来たのであんなにかなしく啼《な》いてゐる

と書いています。

私《わたし》はこの詩を読むたび、冬になると花巻《はなまき》に渡《わた》ってきた白鳥を思い浮《う》かべます。青空の下、一羽を先頭に逆《ぎゃく》V字の形で飛ぶ白鳥の姿《すがた》は、翼《つばさ》が空に溶《と》けるようでとても美しいものです。ときには二羽だけで低く飛ぶ姿《すがた》もあります。

賢治《けんじ》には毎年見慣《みな》れていたはずの美しい景色が、トシの死によって一変します。彼《かれ》らの啼《な》き交《か》わす声が、哀《かな》しく兄を呼《よ》ぶ声に聞こえるのです。何を見ても、何を聞いても大切な妹の死に結びつけずにはいられません。

トシを失った賢治《けんじ》は、やがて北へ旅に出ます。列車で青森へ、さらに北海道を経由《けいゆ》して当時日本の領土《りょうど》だった樺太《からふと》へ。その旅の中でも賢治《けんじ》は妹のことが頭から離《はな》れません。「オホーツク挽歌《ばんか》」の一連の詩はどれも長いものですので全部を引用することは控《ひか》えますが、まさに賢治《けんじ》の「挽歌《ばんか》」がほとばしっています。

遠くへ行ってしまったはずのトシは、青森だろうが樺太《からふと》だろうが、常《つね》に賢治《けんじ》のそばから離《はな》れません。《青森挽歌《ばんか》》はこのような描写《びょうしゃ》から始まります。

こんなやみよののはらのなかをゆくときは
客車のまどはみんな水族館の窓《まど》になる
（乾《かわ》いたでんしんばしらの列が
せはしく遷《うつ》つてゐるらしい
きしやは銀河系《ぎんがけい》の玲瓏《れいろう》レンズ
巨《おお》きな水素《すいそ》のりんごのなかをかけてゐる）

今でも人口の少ない地方で夜の列車に乗っていると、あたりは真っ暗、ポツンポツンと人家の明かりが見えるだけということが珍《めずら》しくありません。沿線《えんせん》から見れば汽車の窓明《まどあ》かりは水族館の窓《まど》に見えなくもないでしょう。

詩人の想像力《そうぞうりょく》の中では汽車は地上を離《はな》れて宇宙《うちゅう》へと走り出しています。後年の作品『銀河鉄道《ぎんがてつどう》の夜』につながるイメージです。そのうち賢治《けんじ》はトシを思い出します。

あいつはこんなさびしい停車場《ていしゃば》を
たつたひとりで通つていつたらうか
どこへ行くともわからないその方向を
どの種類の世界へはひるともしれないそのみちを
たつたひとりでさびしくあるいて行つたらうか
(中略《ちゅうりゃく》)
とし子はみんなが死ぬとなづける
そのやりかたを通つて行き
それからさきどこへ行つたかわからない
それはおれたちの空間の方向ではかられない
感ぜられない方向を感じようとするときは
たれだつてみんなぐるぐるする

私《わたし》も両親を看取《みと》ったとき、「死ぬ」という行為《こうい》には誰《だれ》も介入《かいにゅう》できないのだと強く感じました。その苦しみを分け持つことはできません。どんなに家族や友人がまわりを取り囲《かこ》んでいても、「死」はその人だけのもの。生まれてくる時と同じく、孤独《こどく》な営《えい》為《い》です。その点では病死も災害《さいがい》死も変わりはないでしょう。

「どこへ行くともわからないその方向を　どの種類の世界へ入るともしれないそのみちを　たったひとりでさびしくあるいていったろうか」という賢治《けんじ》の嘆《なげ》きの通りなのです。自分たちの知らない場所へトシは行ってしまいました。寂《さび》しいのは残された賢治《けんじ》自身かもしれません。

賢治《けんじ》は北へ北へと旅を続けながら、トシのことを考え続けます。

にはかに呼吸《こきゅう》がとまり脈《みゃく》がうたなくなり
それからわたくしがはしつて行つたとき
あのきれいな眼《め》が
なにかを索《もと》めるやうに空《むな》しくうごいてゐた
それはもうわたくしたちの空間を二度と見なかつた
それからあとであいつはなにを感じたらう

それはまだおれたちの世界の幻視《げんし》をみ
おれたちの世界の幻聴《げんちょう》をきいたらう

臨終《りんじゅう》の描写《びょうしゃ》はとてもリアルで、胸《むね》に迫《せま》ります。生から死へとたったひとりで歩み去るトシ。その時のトシの心のなかを賢治《けんじ》は思いやります。花巻《はなまき》から青森へ、北海道の稚内《わっかない》を経《へ》て樺太《からふと》へと行けば行くほど気温は下がり、賢治《けんじ》の心情《しんじょう》に寄《よ》り添《そ》うように植物は繊細《せんさい》になり、冷たい風が吹《ふ》いていきます。
賢治《けんじ》は死んだトシがどのように次の世界へ行ったのか、想像《そうぞう》します。

それらひとのせかいのゆめはうすれ
あかつきの薔薇《ばら》いろをそらにかんじ
あたらしくさはやかな感官をかんじ
日光のなかのけむりのやうな羅《うすもの》をかんじ
かがやいてほのかにわらひながら
はなやかな雲やつめたいにほひのあひだを

交錯《こうさく》するひかりの棒《ぼう》を過《よ》ぎり
われらが上方とよぶその不可思議《ふかしぎ》な方角へ
それがそのやうであることにおどろきながら
大循環《だいじゅんかん》の風よりもさはやかにのぼつて行つた
わたくしはその跡《あと》をさへたづねることができる

この一節は、妹が大自然の営《いとな》みに溶《と》けるように次の世界へ登っていってほしいという兄の願いでもあるでしょう。堂々巡《どうどうめぐ》りの果てに、賢治《けんじ》はこう書いて詩を終えます。

《みんなむかしからのきやうだいなのだから
けつしてひとりをいのつてはいけない》
ああ　わたくしはけつしてさうしませんでした
あいつがなくなつてからあとのよるひる
わたくしはただの一どたりと
あいつだけがいいとこに行けばいいと

さういのりはしなかつたとおもひます

「オホーツク挽歌《ばんか》」連作の最後に置かれた、《噴火湾《ふんかわん》（ノクターン）》があります。「噴火湾《ふんかわん》」とは北海道の室蘭市地球《むろらんしちきゅう》（チキウ）岬《みさき》と茅部郡森町砂原《かやべぐんもりまちさはら》とを結ぶ巨大《きょだい》な湾《わん》のことで、北海道の地図で見れば左下（南西）の部分にあります。

一九二三年八月十一日。岩手ではそろそろ月遅《つきおく》れのお盆《ぼん》を迎《むか》えようという頃《ころ》、樺太《からふと》までの十二日間の旅を終えて、賢治《けんじ》が再《ふたた》び北海道へ戻《もど》ってきたときに書かれた詩です。疲《つか》れて眠《ねむ》っていた車中で目ざめると、そこは噴火湾沿《ふんかわんぞ》いでした。秀麗《しゅうれい》な駒ヶ岳《こまがたけ》の姿《すがた》を仰《あお》ぎながらも、思うのはトシのこと。詩の最後の部分を紹介《しょうかい》しましょう。

噴火湾《ふんかわん》のこの黎明《れいめい》の水明り
室蘭《むろらん》通ひの汽船には
二つの赤い灯がともり
東の天末《てんまつ》は濁《にご》った孔雀《くじゃく》石の縞《しま》

黒く立つものは樺《かば》の木と楊《やなぎ》の木
駒ケ岳《こまがたけ》駒ケ岳《こまがたけ》
暗い金属《きんぞく》の雲をかぶつて立つてゐる
そのまつくらな雲のなかに
とし子がかくされてゐるかもしれない
ああ何べん理智《りち》が教へても
私のさびしさはなほらない
わたくしの感じないちがつた空間に
いままでここにあつた現象《げんしょう》がうつる
それはあんまりさびしいことだ
（そのさびしいものを死といふのだ）
たとへそのちがつたきらびやかな空間で
とし子がしづかにわらはうと
わたくしのかなしみにいぢけた感情《かんじょう》は
どうしてもどこかにかくされたとし子をおもふ

駒《こま》ヶ岳《たけ》を被《おお》っている黒い雲のなかにトシがいるのではないか。そう賢《けん》治《じ》は連想します。トシが渡《わた》っていった世界がどんなにきらびやかなものであっても、それを彼《かれ》が知ることはできないのです。

賢《けん》治《じ》は自然豊《ゆた》かな岩手で育ち、幼《おさな》い頃《ころ》から「石コ賢《けん》さん」と呼《よ》ばれたほど鉱物《こうぶつ》が好きでした。いつも金づちを持って歩き、これはと思う岩などを見つけると割《わ》って収《しゅう》集《しゅう》したそうです。盛《さか》んに山に登り、天体観測《かんそく》にも熱心でした。盛岡《もりおか》高等農林（現《げん》・岩手大学農学部）へ進学後は農学などの科学を学んだことが、詩や童話に見られる彼《かれ》の独特《どくとく》の世界を形作っています。

賢《けん》治《じ》作品は普遍《ふへん》的な魅力《みりょく》にあふれていますが、それでも私《わたし》は花巻《はなまき》に暮《く》らした三年間が作品の理解《りかい》を深めたと感じています。内陸部の寒さ、雪景色の美しさ、厳《きび》しさ。時には死をもたらすような地吹雪《じふぶき》と、それがやんだ後のしんとする夜。

冬は雪が降《ふ》っているか雲が垂《た》れ込《こ》めているかで、滅多《めった》に青空にはお目にかかれません。そんな日の夕暮《ゆうぐ》れ時は、雪がかすかな光を反射《はんしゃ》して薄《うす》青く光ります。月が照れば空も地上も銀色に輝《かがや》くのです。

月が沈《しず》めばそこには満点の星空。都会で暮《く》らしていると空を見上げることが少なく、一度頭の中で思い出さないと宇宙《うちゅう》という存在《そんざい》を忘《わす》れてしまいがちです。ところが花巻《はなまき》に暮《く》らしている間は、まっすぐに宇宙《うちゅう》とつながっているという実感がありました。

私《わたし》は震災《しんさい》後しばらくの間、何度も「無声慟哭《どうこく》」や「オホーツク挽歌《ばんか》」の連作を読み返しました。死んだ人はどこへ行ってしまうのだろう——これは大切な人を亡《な》くした人々《ひとびと》の無限《むげん》の問いかけだと思います。私《わたし》は浄土真宗《じょうどしんしゅう》の寺の生まれなので、「お浄土《じょうど》へ還《かえ》る」という感覚をどこかで持っていますが、それは考えても出てこない答えをひとまずお預《あず》けしているということかもしれません。

トシの死にまつわる賢治《けんじ》の作品は、どれも厳《きび》しく、寂《さび》しいものです。それでも、彼《かれ》がギリギリの精神状態《せいしんじょうたい》で自問自答しながら書いた詩は、あの時期の私《わたし》の支《ささ》えとなりました。甘《あま》いものは受け付けなかっただろうと思います。心が本当の滋養を求めていたのです。

それはおそらく、私《わたし》もいつかは「こんなさびしい停車場《ていしゃば》」を通っていかなければならないという予感のようなものがあったからかもしれません。三月十一日、多くの人たちが通っていったであろう停車場《ていしゃば》を。

終わりに。

二〇二一年三月十一日で、東日本大震災《ひがしにほんだいしんさい》から十年を迎《むか》えます。

あの日の記憶《きおく》は今も鮮《あざ》やかで、何よりも郷里《きょうり》に大津波《おおつなみ》が襲《おそ》いかかることを知った瞬間《しゅんかん》の恐怖心《きょうふしん》は忘《わす》れることができません。千年に一度の大災害《さいがい》がなぜ私《わたし》の生きている間に郷里《きょうり》で起こったのかと思うと、出てくる言葉は「不条理《ふじょうり》」の一語に尽《つ》きてしまいます。

できることなら地震《じしん》の起きた十四時四十六分より少し前に戻《もど》って、

「とにかくみんな、迷《まよ》わず高台に逃《に》げてください」

と伝えたいと思うのですが、そんなことは不可能《ふかのう》です。それができたらどんなにいいか。

東日本大震災《ひがしにほんだいしんさい》から数年後、一見被災地《ひさいち》も落ち着きを取り戻《もど》したように見えた頃《ころ》、二本の映画《えいが》が封切《ふうき》られました。『シン・ゴジラ』と『君の名は。』です。どちらも大ヒットした話題作ですから、観た方も多いことでしょう。私《わたし》も観ました。先に『シン・ゴジラ』を観たある日、弟からメールが来ました。陸前高田市では映画館《えいがかん》も津波《つなみ》で流されてしまい、映画《えいが》を見るのも離《はな》れた市まで行かねばならないため、映画《えいが》選びにも慎重《しんちょう》になります。「どっちを観ればいいかな？」という問い合わせでした。

私《わたし》は、

「まだ『シン・ゴジラ』しか観ていないけど、あれはやめたほうがいいかもね。ゴジラが蒲田《かまた》に上陸してからじわじわと瓦礫《がれき》みたいなものが波と一緒《いっしょ》に近づいてくるシーンがあって、津波《つなみ》を連想してしまうかもしれないから」

と答えました。そのアドバイスに従《したが》って、弟一家は『君の名は。』を観にいったのです。でもそれは、とても辛《つら》い体験になってしまいました。

観た方ならおわかりのように、あの映画《えいが》は一つの町が消滅《しょうめつ》し、多くの人の命が奪《うば》われた出来事が前提《ぜんてい》となっています。その数年後にそれを知った主人公は時間を越《こ》え、たくさんの人が高台に逃《に》げて助かるように「事実」そのものを変えてしまうのです。弟はこう書いてきました。

「あれが、被災地《ひさいち》の人たちすべての望みなんだよ。だからちゃんと観てね」

勧《すす》めに従《したが》って、私《わたし》も『君の名は。』を観に行きました。確《たし》かに、あんな風にみんながすぐ高台に逃《に》げていれば、命だけは助かったでしょう。陸前高田市に津波《つなみ》が到達《とうたつ》したのは地震《じしん》発生から約三十分後です。ほとんどの人は歩いてでも逃《に》げられたはずなのです。しかしそれはできませんでした。

大地震《おおじしん》が起きてすぐ、全市は停電《ていでん》し、テレビは見られなくなりました。今は何事もテレビ頼《だの》みですから、携帯《けいたい》ラジオを持っている人は多くありません。大《おお》津波《つなみ》警報《けいほう》が出たという放送はされていましたが、多くの人の記憶《きおく》にある大津波《おおつなみ》は昭和三五年のチリ地震津波《じしんつなみ》で、その時は海岸の近くにある陸前高田駅までしか津波《つなみ》は到達《とうたつ》しなかったのです。チリ地震津波《じしんつなみ》も大変な災害《さいがい》でした。のちに、

「『チリ地震津波《じしんつなみ》の時だってここまでは来なかったから』という油断《ゆだん》があった」と多くの人が語っています。あまりにも大きな危機《きき》の前では自分たちは大《だい》丈夫《じょうぶ》だという「正常性《せいじょうせい》バイアス」が働いてしまうのです。

『君の名は。』を観終わった時、私《わたし》はしばらく椅子《いす》から立ち上がることができ

ませんでした。あんな風に奇跡《きせき》が起きればよかったのにと思わずにはいられなかったのです。

私《わたし》の隣《となり》に初老の男性《だんせい》が一人で座《すわ》っていました。ハッと気づくと、その人が静かに泣いているのです。涙《なみだ》を拭《ぬぐ》うわけでもなく、声も出さずに。彼《かれ》も大切な人を東日本大震災《ひがしにほんだいしんさい》で亡《な》くしたのかもしれません。

号泣ではなく静かな涙《なみだ》が象徴《しょうちょう》するように、失われてしまったものの大きさを、新海誠監督《しんかいまことかんとく》は美しい映像《えいぞう》で静かに示《しめ》していたのでした。

十年が経《た》とうとしている今でも、三月十一日はもちろん、毎月十一日になると、懐《なつ》かしい人たちが眠《ねむ》っている墓地《ぼち》へやってきて手を合わせる人がいます。お彼岸《ひがん》やお盆《ぼん》も同様です。海に向かって祈《いの》る人もいます。

それは死者のためだけはありません。まだ家族や友人が見つからないという人もいるのです。その数、二〇二〇年九月十日現在《げんざい》で二五二八名（警察庁発表）。祈《いの》りには、行方《ゆくえ》不明者が早く見つかるようにという願いも込《こ》められています。

もともと東北は、神仏《しんぶつ》を敬《うやま》い、先祖《せんぞ》をお祀《まつ》りする気持ちの篤《あつ》い土地柄《がら》です。お盆《ぼん》ともなれば実家の寺にある墓地《ぼち》には、おじいちゃんおばあちゃんから赤ちゃんまで（時にはペットの犬まで）一緒《いっしょ》にやってくる姿《すがた》を見かけます。

一方大都会ではどんどん葬儀《そうぎ》などの簡略化《かんりゃく》が進み、田舎《いなか》にあるお墓《はか》を閉《と》じてしまう「墓《はか》じまい」も稀《まれ》ではなくなりました。樹木葬《じゅもくそう》や散骨《さんこつ》など、従来《じゅうらい》あったようなお墓《はか》の形も変化を見せています。地方もその変化と無縁《むえん》ではありませんが、東日本大震災《ひがしにほんだいしんさい》当時は、死者を手厚《てあつ》く弔《とむら》い、偲《しの》びたいという気持ちは高まったように思えました。

私《わたし》は大震災《だいしんさい》の少し前に、縁《えん》あって青森県下北《しもきた》半島にある「恐山《おそれざん》」へ行く機会を持ちました。「恐山《おそれざん》」は死者に再会《さいかい》できる霊場《れいじょう》として、長い間信仰《しんこう》を集めてきました。山としての恐山《おそれざん》は活火山であり、カルデラ湖である宇曽利《うそり》湖は硫黄《いおう》成分が強すぎるため、生き物が存在《そんざい》しません。私《わたし》が行った日は晴れていて、薄《うす》い水色が鮮《あざ》やかでした。

「恐山《おそれざん》」は、恐山菩提寺《おそれざんぼだいじ》が管理しています。私《わたし》はその本坊《ほんぼう》である曹洞宗円通《そうとうしゅうえんつう》寺《じ》の院代を務《つと》める南直哉《みなみじきさい》さんに仕事で会いに行ったのです。霊場《れいじょう》としての「恐《おそれ》山《ざん》」を見に行ったわけではありませんが、見学をさせていただき、強い衝撃《しょうげき》を受けました。

「『恐山《おそれざん》』へ行けば死者に会える」

と言われる通り、大祭が行われる時期は「イタコ」と呼《よ》ばれる霊能者《れいのうしゃ》たちによる「口寄《くちよ》せ」が行われます。イタコは死者の霊魂《れいこん》を呼《よ》び、彼《かれ》らに代わってその言葉を語るのです。今風に言うなら、パワースポットです。

こういう信仰《しんこう》は高齢者《こうれいしゃ》のものばかりではありません。思いがけない妊娠《にんしん》をし、中絶《ちゅうぜつ》せざるを得《え》なかった若《わか》い女性《じょせい》もたくさん来るそうです。たくさんの風車が風に吹《ふ》かれてカラカラとまわっていましたが、これは生まれなかった水子《みずこ》を慰《なぐさ》めるためのものです。

あるお堂《どう》の中には、早世してしまった子どものためにと、おびただしい数のお人形が奉納《ほうのう》されていました。特に衝撃《しょうげき》だったのは、死んだ息子の写真のそばに並《なら》ぶ、打ち掛《か》け姿《すがた》の花嫁《はなよめ》人形でした。あの世では伴侶《はんりょ》を得《え》てほしいという悲しい親の願いに、私《わたし》は言葉を失ったものです。

正直なところ私《わたし》はその「念」の強さにいたたまれず、早くその場から去りたいと感じました。「恐山《おそれざん》」という霊場《れいじょう》は、人々《ひとびと》の悲しみを薄《うす》めるのではなく、濃縮《のうしゅく》させる装置《そうち》のように思えたのです。本当にどうにもならない悲しみは、そうでもしなければやりきれないものなのかもしれません。

立派《りっぱ》な鉄筋《てっきん》コンクリート造《づく》りの宿坊《しゅくぼう》に一泊《ぱく》しましたが、部屋の中には翌朝《よくあさ》すぐに換気《かんき》をするようにという注意書きがありました。活火山である恐山《おそれざん》では今も活発に硫化水素《りゅうかすいそ》が吹《ふ》き出しており、眠《ねむ》っている間に床《ゆか》に近い部分に溜《た》まっていくため、きちんと換気《かんき》しないと危険《きけん》なのです。そんな場所に布団《ふとん》を敷《し》いて横になると、自分が確《たし》かに死に近いところにいるのだという実感がありました。

東日本大震災《ひがしにほんだいしんさい》後再《ふたた》び南さんにお会いした時に、こんな話を伺《うかが》いました。

例年五月一日の開山日には、東北からたくさんの信者がやってきます。でも、さすがに二〇一一年は開山するべきか否《いな》か大変悩《なや》み、開山を決めたあとも参拝《さんぱい》者《しゃ》は来られないだろうと思っていたそうです。家を流され、家族に死なれ、何もかも失った信徒の方たちが多かったからです。

ところがその予想は外れました。自ら被災《ひさい》してしまった何人もの人たちが、それでも死んだ家族や行方《ゆくえ》不明の家族に会いたいと、開山日に必死の思いで「恐山《おそれざん》」までやってきたのです。まだあの大災害《さいがい》から二カ月も経《た》っていませんでした。避難所《ひなんじょ》となっていた実家に、ようやく電気が通じた頃《ころ》のことです。その後も続々と参拝者《さんぱいしゃ》が増えていきました。

なんという強い思いでしょう。彼《かれ》らはどうやって旅費《りょひ》やイタコに納《おさ》めるお金を工面し、旅の荷物をこしらえたのでしょうか。それほど彼《かれ》らは、少しでもいいから愛する人に会いたかったのです。

「その場に行って取材してみたかった」

と思ったのはライターとしての性《さが》のようなものでしたが、実際《じっさい》人々《ひとびと》の前に立ったとしても、私《わたし》は語りかける言葉を失っていたでしょう。

現代《げんだい》は科学が進歩し、ネットワーク技術《ぎじゅつ》も発展《はってん》を遂《と》げて、大震災《だいしんさい》当時と比《くら》べてみても社会の変化には凄《すさ》まじいものがあります。おびただしい死者も変化の中で埋《う》もれ、「個《こ》」としての重さを失っていきます。それが東京という大都会に暮《く》らし、毎日パソコンから世界を眺《なが》めている私《わたし》の実感です。

だからこそ、恐山《おそれざん》のように何世紀《せいき》にも渡《わた》って悲しみが濃縮《のうしゅく》されてきた場所でなければ、死者の存在《そんざい》がくっきりと浮《う》き上がってこない。自分と死者がより近く感じられる場だから人々《ひとびと》は素直《すなお》にイタコへ語りかけ、死者の言葉を少しでも聞きたいという正直な気持ちに身を委《ゆだ》ねることができるのだと思います。

私《わたし》はこれまで、何人もの家族や友人を亡《な》くしたという方たちに会い、お話をうかがってきました。しかし、その場その時になるといつも、自分が被災地《ひさいち》である陸前高田市に実家を持ちながら、家族が無事だったことを大っぴらには喜《よろこ》べない気持ちを抱《かか》えてきました。

そのせいか、何十人もの親族に死なれたとか小さな子どもを亡《な》くしたという人の前に出ると、私《わたし》はへどもどしてしまい、うまく言葉が出てこなくなってしまうのです。あえて質問《しつもん》するよりも、自分の郷里《きょうり》もまた被災地《ひさいち》だったことをお伝えし、ただポツリポツリと話してくださる言葉を受けとめて、うなずくだけです。

ところが、あちこちでお話をうかがっていくうちに、親しい人を失った方にもさまざまな心の様相があることがわかってきました。すぐに心のうちを言語化できる人もいれば、それがむずかしい人もいる。たくさんの感情《かんじょう》が湧《わ》き出してきて、それが心と身体を埋《う》め尽《つ》くしてしまい、パンパンになっているのに何年も外には出せない。

特に「自分がああしていたら彼《かれ》らは死ななくて済《す》んだ」という悔《く》いを持つ人の苦しみは深く、長く自分を責《せ》め続けたまま、口を閉《と》ざしているケースが少なくありません。

そういう人でも、ある程度《ていど》の時間が過《す》ぎ、何かのきっかけを与《あた》えられると、言葉が噴《ふ》き出すことがあります。たとえそれが何年後であってもです。水でふくらんだ風船を針《はり》で突《つ》くと、一気に割《わ》れて水が弾《はじ》け飛ぶようなものでしょうか。言葉の奔流《ほんりゅう》を浴びながら、ひょっとすると私《わたし》は、ただそれを受けとめるだけでよい立場なのではないかと思うようになりました。

あの日、私《わたし》はあの場所にはいなかったけれど、家族を失うかもしれないという足元が揺《ゆ》らぐような恐怖心《きょうふしん》は、少なくとも共有できるという気がしました。そこから先は決して交わることのない道を歩んでしまったかもしれない。だから私《わたし》は自分の言葉をなくしてしまったのだろうけれど、空になった器に人の言葉は受け入れられる。

家族を失わなかった自分には、本当の意味で悲しみを共にすることはできないという自覚は今でも持っています。一人ずつ悲しみを蓄《たくわ》える部屋は大きさも置かれた場所も違《ちが》っていて、心の一番奥《おく》のところにある部屋の扉《とびら》を固《かた》く閉《と》ざし、鍵《かぎ》をかけている人もいるからです。

それなら少なくとも、彼《かれ》らの気持ちをわかったふりはするまい。

そう思って話を聴《き》いているうちに、少しずつ人々《ひとびと》の言葉に変化が現《あらわ》れてきたのはいつの頃《ころ》だったでしょうか。不条理《ふじょうり》な死を悲しむ気持ちは今でも変わらないけれど、死者を悼《いた》む長い時間の中で、死者は死者として存在感《そんざいかん》を持ち始めました。あの日を起点として、別のいのちを与《あた》えられたかのようです。

本来ならもっと長く生きているべきだった人、もう決して帰ってこない人でありながら、その一方ではいつも自分のそばにいて、見ていてくれる人でもある。それは時間が生み出した幻影《げんえい》なのでしょうか?

私《わたし》はそうは思いません。変な言い方になりますが、死者には死者の人生があるとさえ感じます。生前の人生と死後の人生。死後の人生は彼《かれ》らを愛する人の中にあります。

災害《さいがい》という非《ひ》常《じょう》時ではありませんが、私《わたし》自身、何人もの懐《なつ》かしい人を見送ってきました。母は亡《な》くなって三十五年、父が亡《な》くなって十六年。果たして彼《かれ》らは遠い存在《そんざい》になってしまっただろうか。むしろ両親と自分の距離《きょり》は近くなり、境《さかい》目《め》が薄《うす》れてきたように思います。母の死んだ年齢《ねんれい》をこえ、父の享年《きょうねん》に近づいてきたからかもしれません。

両親が与《あた》えてくれたいろいろなことが、思いがけない時に今も自分の中に存《そん》在《ざい》しているとか、今の自分を作っていると気づく瞬間《しゅんかん》があります。「いてくれなくなって悲しい」から、「いてくれてありがとう」へと私《わたし》の気持ちも変わってきました。

懐《なつ》かしい人は、いつも彼《かれ》らを愛した人のそばにいるのです。

千葉　望（ちば・のぞみ）
岩手県生まれ。早稲田大学文学部日本文学専修卒業。佛教大学大学院仏教文化専攻修士課程終了。ノンフィクション・ライターとして、人物インタビューやルポ、書評などを執筆。
『実践する！仏教』（すばる舎）『旧暦で日本を楽しむ』（講談社＋α文庫）『共に在りて　陸前高田・正徳寺、避難所となった我が家の140日』（講談社）『日本人が忘れた季節になじむ旧暦の暮らし』（朝日新聞出版）ほか。児童書に写真絵本『マリモを守る。』『お月さまのこよみ絵本』（理論社）がある。

＊宮澤賢治作品の引用は
「宮澤賢治全集」（ちくま文庫）により、
一部ふりがなを足しています。

世界をカエル 10代からの羅針盤

大切な人は今もそこにいる
ひびきあう賢治と東日本大震災

2020年11月　初版
2021年12月　第3刷発行

著　者　千葉　望
イラスト　マット和子
装　丁　笠井亞子
発行者　内田克幸
編　集　芳本律子
発行所　株式会社理論社
〒101-0062 東京都千代田区神田駿河台2-5
電話　営業　03-6264-8890　編集 03-6264-8891
URL　https://www.rironsha.com

印刷・製本　中央精版印刷

ISBN978-4-652-20403-0 NDC914 四六判 19cm 184p

人間はだまされる

フェイクニュースを見分けるには

三浦準司

何が本当で何がウソなのか、
玉石混淆の情報が行き交う時代に、
重要な事実や必要な情報をどうやって得たらいいのか、
ベテランジャーナリストが分かりやすく語る。

世界をカエル
10代からの羅針盤

スカートはかなきゃ
ダメですか？

ジャージで学校

名取寛人

ニューヨークを拠点に
世界各国で活躍したダンサー・名取寛人。
実は生まれたときは女だったことを告白。
スカートが嫌でジャージで通っていた中学・高校時代……。

世界をカエル
10代からの羅針盤

脱・呪縛

鎌田　實・著　　こやまこいこ・絵

医師・作家である鎌田實が、患者と向き合う中で、また、
チェルノブイリやイラクなど、まったなしの命うごめく現場で
生身で感じ得た「生きる意味」を、そして
そのために必須の「呪縛から脱する力」を語る。

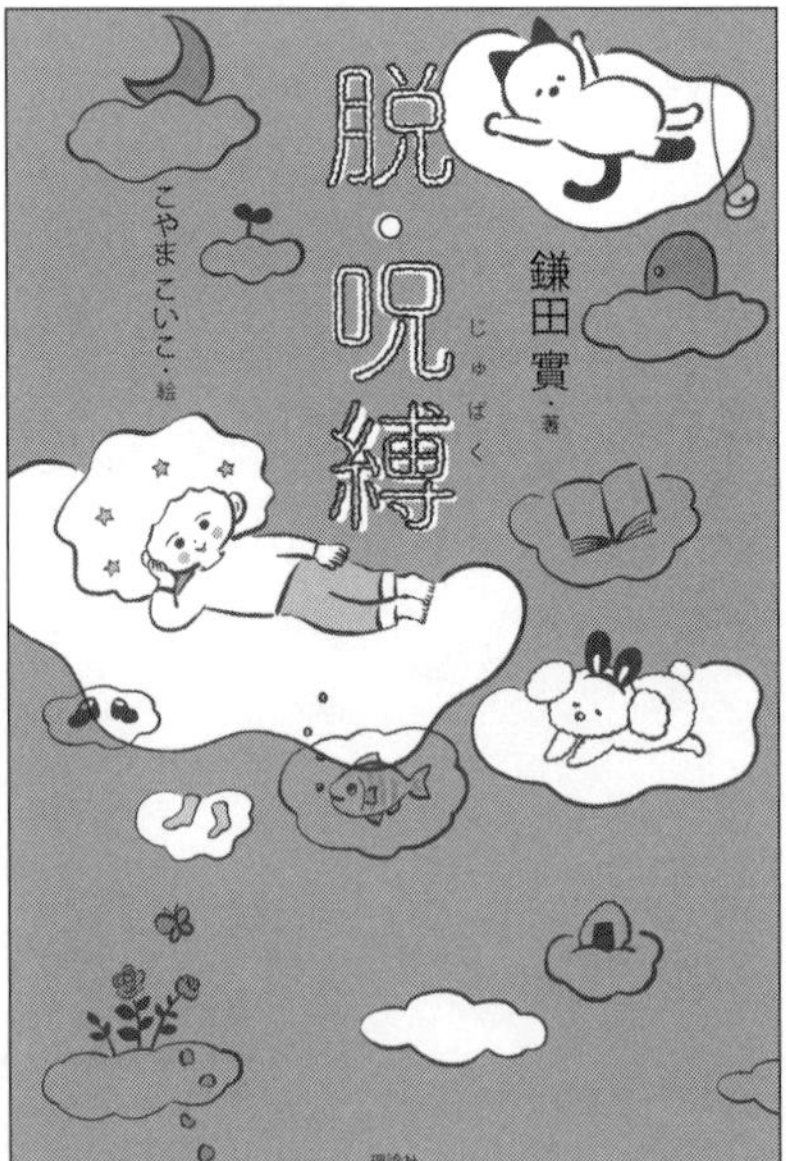

世界をカエル
10代からの羅針盤

江戸っ子漱石先生からの手紙

100 年後のきみへ

渡邉文幸

手紙を書くのももらうのもだいすきだった漱石。
綴られた手紙を通し、人情家で面倒見が良い一方で
「個人の自由」を大事にした漱石の魅力を描き出す。

世界をカエル
10代からの羅針盤

鳥はなぜ鳴く？

ホーホケキョの科学

松田道生・著　　中村　文・絵

ウグイスを例に鳥の声をさまざまな視点で解説。
ウグイスが一日に 2000 回も鳴くのはなぜ？
ホーホケキョってどんな意味？など鳴き声の謎がわかる。

世界をカエル
10代からの羅針盤

虫ぎらいは なおるかな？

昆虫の達人に教えを乞《こ》う

金井真紀・文と絵

虫ぎらいを克服したいと願っている
文筆家・イラストレーターの著者が、
昆虫館の飼育係、ナチュラリストなど、
虫の達人にインタビュー。虫との付き合い方を模索する。

世界をカエル
10代からの羅針盤